Ces gens qui manquent d'ordre

Catalogage avant publication de
Bibliothèque et Archives Canada

Emmett, Rita

    Ces gens qui manquent d'ordre

    Traduction de: The Clutter-Busting Handbook

1. Rangement à la maison.   2. Ordre.
3. Habitations - Entretien journalier.   I. Titre.

TX309.E6514 2006   648'.8   C2006-941232-4

DISTRIBUTEURS EXCLUSIFS :

• Pour le Canada et les États-Unis :
MESSAGERIES ADP*
955, rue Amherst
Montréal, Québec H2L 3K4
Tél. : (514) 523-1182
Télécopieur : (450) 674-6237
* Filiale de Sogides ltée

• Pour la France et les autres pays :
INTERFORUM
Immeuble Paryseine, 3, Allée de la Seine
94854 Ivry Cedex
Tél. : 01 49 59 11 89/91
Télécopieur : 01 49 59 11 33
Commandes :   Tél. : 02 38 32 71 00
              Télécopieur : 02 38 32 71 28

• Pour la Suisse :
INTERFORUM SUISSE
Case postale 69 - 1701 Fribourg - Suisse
Tél. : (41-26) 460-80-60
Télécopieur : (41-26) 460-80-68
Internet : www.havas.ch
Email : office@havas.ch
DISTRIBUTION : OLF SA
Z.I. 3, Corminbœuf
Case postale 1061
CH-1701 FRIBOURG
Commandes :   Tél. : (41-26) 467-53-33
              Télécopieur : (41-26) 467-54-66
              Email : commande@ofl.ch

• Pour la Belgique et le Luxembourg :
INTERFORUM BENELUX
Boulevard de l'Europe 117
B-1301 Wavre
Tél. : (010) 42-03-20
Télécopieur : (010) 41-20-24
http://www.vups.be
Email : info@vups.be

Pour en savoir davantage sur nos publications,
visitez notre site : **www.edhomme.com**
Autres sites à visiter : www.edjour.com
www.edtypo.com • www.edvlb.com
www.edhexagone.com • www.edutilis.com

07-06

Traduction française :
© 2006, Les Éditions de l'Homme,
une division du groupe Sogides
(Montréal, Québec)

L'ouvrage original a été publié
par Walker Publishing Company, Inc.
sous le titre The Clutter-Busting Handbook

Dépôt légal : 2006
Bibliothèque et Archives nationales du Québec

ISBN 10: 2-7619-2115-1
ISBN 13: 978-2-7619-2115-2

Gouvernement du Québec – Programme de crédit
d'impôt pour l'édition de livres – Gestion SODEC –
www.sodec.gouv.qc.ca

L'Éditeur bénéficie du soutien de la Société de
développement des entreprises culturelles du Québec
pour son programme d'édition.

Nous reconnaissons l'aide financière du gouvernement du Canada par l'entremise du Programme
d'aide au développement de l'industrie de l'édition
(PADIÉ) pour nos activités d'édition.

AVR. 2007

Rita EMMETT

Ces gens qui manquent d'ordre

Traduit de l'américain par Christine Balta

LES ÉDITIONS DE L'HOMME

Ce livre s'adresse d'abord aux collectionneurs de choses inutiles
qui ont perdu l'espoir de mettre un jour de l'ordre dans
les affaires qu'ils ont accumulées.
Puisse ce livre leur apporter soulagement, aide et espoir.

Ensuite, à mes amis et à notre famille, y compris nos enfants,
nos gendres, nos brus et nos neuf petites-filles
et petits-fils qui illuminent nos vies.

Et, finalement, à Bruce Karder, mon mari, associé, amant,
conseiller, qui me soutient contre vents et marées.
Mon meilleur ami et mon plus grand supporteur, et,
il faut bien l'avouer, le roi du fouillis.

INTRODUCTION

Autrefois, ma meilleure amie n'aurait jamais mis les pieds chez moi à cause du fouillis qui jonchait les pièces et les comptoirs de la cuisine. Cela la rendait nerveuse, disait-elle. Elle m'a proposé un jour de m'aider à ranger la pagaille. La première chose qu'elle a ramassée a été un coupon de réduction sur les céréales — coupon expiré depuis dix-huit mois. Voyant cela, elle a pris son sac à main et m'a dit : « Rita, si tu venais prendre un café à la maison ? »

C'est donc à titre d'ex-victime du fouillis que j'ai écrit ce livre, avec l'intention de vous transmettre ce que j'ai appris par moi-même et les trucs que m'ont révélés d'autres personnes qui tentent de régler leurs problèmes de rangement.

Quelles que soient les différences d'âge, de profession, de milieu ou d'instruction, j'ai constaté que ceux et celles qui souffrent du fouillis ont tendance à poser les mêmes questions inquiètes : Comment tout ce chaos a-t-il pu s'accumuler aussi vite ? Y a-t-il moyen de s'en débarrasser facilement et sans douleur ?

Il y a quelques années, j'ai écrit un livre sur la procrastination qui m'a valu de nombreux courriels de lecteurs reconnaissants : je les avais aidés à se débarrasser de leur mauvaise habitude de toujours remettre les choses au lendemain. Cependant, ils ajoutaient souvent : « Que vais-je faire à présent du fouillis qui encombre ma vie ? »

De nos jours, le fouillis est la cause principale de stress, de maux de tête, de gêne et d'anxiété. J'ai récemment posé des questions à ce sujet aux lecteurs de mon magazine virtuel, puis je suis partie quatre jours en voyage. À mon retour, ma boîte débordait de centaines de messages de personnes anxieuses d'exprimer leur frustration et leurs « histoires de fouillis ». Il y était question de disputes familiales engendrées par le désordre, d'importants documents perdus « quelque part dans le bureau » et des conflits qui s'ensuivent. Les rêves brisés et les trésors perdus à cause du désordre se soldent en général par la culpabilité et l'angoisse. Et mes correspondants me suppliaient de les aider à venir à bout de ce fouillis qui, selon eux, contrôlait leur vie.

Tout au long de ce livre, vous trouverez des conseils, des anecdotes, des trucs et des questionnaires qui vous aideront à cerner les causes de votre problème et à mieux comprendre votre situation. Vous constaterez que :

— le fouillis n'est qu'une mauvaise habitude qu'on peut supprimer ;

— il existe un lien certain entre le fouillis et la tendance à tout remettre au lendemain ;

— de nombreuses méthodes douces (qui ne vous briseront pas le cœur) peuvent vous aider à vous débarrasser de votre fatras.

Une fois que vous aurez fait le grand ménage, vous verrez qu'il est ensuite plus facile de ranger les affaires qui restent et de les retrouver. Je vous proposerai aussi certaines méthodes qui vous empêcheront de retomber dans vos mauvaises habitudes. Une fois que vous aurez vaincu votre fouillis une bonne fois pour toutes, vous serez émerveillé de maîtriser la situation au lieu d'être dominé par vos affaires : vous aurez plus d'énergie, plus d'espace, moins de distractions et d'angoisses. Vous vous sentirez léger, heureux d'être débarrassé de tout ce qui encombrait votre vie.

PREMIÈRE PARTIE

Trop, c'est assez !

CHAPITRE 1

Comment ai-je pu accumuler tant de choses ?

La vie ne consiste pas à avoir et à obtenir,
mais à être et à faire.
ANONYME

Chère Rita, grande chasseuse de fouillis,

L'autre jour, en rentrant chez nous, nous avons été accueillis par des voitures de police stationnées devant la maison. On nous avait cambriolés, et un policier m'a tout de suite prévenu : «Ces voyous ont tout mis sens dessus dessous. Dites à votre femme d'être courageuse. Il vous faudra des semaines pour ranger tout ça.»

Nous sommes entrés et, en examinant les lieux, nous nous sommes aperçus que les voleurs n'avaient touché à rien. Les choses étaient comme nous les avions laissées. Ce chaos était tout simplement notre décor quotidien.

Je suis attaché à mes choses et j'ai souvent prétendu que ce n'était pas du fouillis, mais, en mon for intérieur, je sais que c'en est. À présent, je dois reconnaître que quelque chose cloche en moi et que les objets me dominent. Je suis probablement l'être le plus désorganisé au monde et j'ai fait la promesse de me corriger, mais je suis découragé. Je ne sais pas par où commencer. Verrai-je un jour la lumière au bout du tunnel ?

Sincères salutations.

Rassurez-vous, il y a de l'espoir.

Vivre dans un fourbi permanent ne relève pas d'un défaut ou d'un trait de caractère, mais d'une habitude dont vous pouvez vous débarrasser. En fait, vous êtes victime des «quatre péchés capitaux du fouillis» qui vous poussent à :

— tout garder (que vous ayez besoin ou non de ces choses, qu'elles vous plaisent ou non) ;
— rapporter chez vous (ou à permettre qu'on vous apporte) des choses dont vous n'avez nul besoin ;
— ne jamais attribuer une place à chaque chose ;
— mettre les choses de côté ou les déposer n'importe où avec l'intention de les ranger plus tard.

Les deux premières habitudes expliquent comment le désordre s'installe dans la vie des gens. Les deux autres constituent la négation de ce fameux dicton : « Une place pour chaque chose et chaque chose à sa place. » Si vous avez ces mauvaises habitudes, il y a fort à parier que votre logis est en désordre. Si vous vous débarrassiez d'une seule de ces habitudes, le désordre diminuerait aussitôt. Mais je vous entends protester : « Pas si vite ! Mon fouillis ne vient pas de ces péchés ! S'il y a du désordre chez moi, c'est parce que je suis désorganisé. »

C'est incontestable

Premier postulat d'Emmett : Si vous comptez vous organiser demain, passez à l'action aujourd'hui même.
S'organiser alors qu'on croule sous un fatras est très difficile, voire impossible. Par contre, s'organiser une fois que tout a été rangé est une tâche qui ne demande pratiquement aucun effort.

Il faut bien comprendre une chose : que vous soyez organisé ou non, votre fouillis disparaîtra si vous vainquez l'un des quatre péchés capitaux.

Du mot « fouillis », *Le Robert* donne cette définition : « Entassement d'objets disparates réunis pêle-mêle. Voir désordre, pagaille. » Encore faut-il s'entendre sur le sens du mot « désordre ». Je pense que le désordre s'est installé quand :
— la situation génère des problèmes, du stress, de la gêne, et vous empêche de vivre normalement ;
— vous ne savez pas ce que vous avez ou vous ne trouvez pas ce que vous cherchez ;
— le méli-mélo général vous empêche d'utiliser des surfaces ou des espaces trop encombrés.

Le système de rangement de la table à dîner

Avant ma conversion, je prétendais que nous étions une famille décontractée et que nous préférions prendre nos repas à la cuisine plutôt qu'à la salle à manger. La vérité, c'est qu'il y avait tant de papiers, de livres et d'objets empilés sur la table qu'il aurait fallu des heures de rangement avant de pouvoir nous y installer. De plus, quand des amis nous rendaient visite, je fourrais tout dans une boîte que je cachais dans un placard. Résultat : nous perdions toute trace du contenu de la boîte ! Souvent, des factures et des documents importants se retrouvaient au mauvais endroit ou disparaissaient.

Comme beaucoup de gens, je m'étais habituée au désordre et il aura fallu que la situation devienne carrément invivable pour que je le remarque enfin.

La société du fouillis

Jamais, dans l'histoire du monde, une société n'a été aussi submergée par les objets et le fouillis. À qui fais-je allusion ? À nous, vous et moi, petits et grands, jeunes et vieux. Nous avons en notre possession une quantité sans exemple de biens divers.

Une bonne habitude à prendre

Si un petit ménage requiert moins d'une minute,
faites-le sur-le-champ.
Accrochez cette chemise, replacez ces livres dans la bibliothèque,
rincez cette assiette et mettez-la dans le lave-vaisselle.

Selon le bulletin d'information *Great Results* d'Avery, une maison moyenne de trois chambres à coucher contiendrait 350 000 objets. Quel contraste avec l'ancien temps, quand les possessions d'une famille pouvaient tenir dans une carriole !

Il y a un siècle, la plupart des gens n'auraient sans doute pas pu comprendre la nécessité de posséder cinq paires de chaussures, huit pantalons, dix robes. Jusqu'à tout récemment, même les gens riches étaient loin de posséder la quantité de documents qu'on retrouve aujourd'hui dans un foyer moyen. À l'époque, il était plus facile de tout ranger à un seul endroit, pour la simple raison qu'il y avait moins de choses à ranger. D'ailleurs, relisons cette citation tirée du magazine *Good Housekeeping*, numéro d'août 1952 :

Vos biens expriment votre personnalité. Peu de choses, y compris les vêtements, sont plus personnelles que vos décorations chéries. Les pionnières qui ont traversé un continent sauvage en serrant contre elles leurs trésors, savaient qu'une pendule, un tableau, une paire de chandeliers signifiaient le foyer, même dans ces contrées sauvages.

On peut se demander ce que nos possessions actuelles disent de notre personnalité.

Au cours d'un séminaire, un participant déclarait : « Selon les chercheurs, la génération actuelle n'utilise pas 80 % de ce qu'elle possède. » J'ignore la source de cette affirmation, mais, d'après mes observations, je la crois valide pour la plupart des gens. Quand nous sommes submergés par nos affaires ou nos paperasses, souvenons-nous que nos parents n'ont jamais eu à affronter ce genre de situation et que nous n'avons donc pas appris à évoluer dans un monde si encombré.

C'est incontestable

Deuxième postulat d'Emmett : Si vous ne savez pas où ranger un objet, c'est que c'est le fouillis autour de vous.

Selon des nettoyeurs professionnels, si une famille moyenne se débarrassait des objets inutiles, 40 % des tâches ménagères seraient éliminées. Si cela ne vous motive pas à devenir un maniaque de l'ordre, votre cas est désespéré.

Au cours d'un de mes séminaires sur le sujet, un homme nous confia que sa grand-mère lui racontait souvent la joie qu'elle avait éprouvée, enfant, quand on lui avait offert pour son anniversaire un petit cheval de bois sculpté par son père. Aujourd'hui, la plupart des enfants croulent sous les jouets et n'auraient aucun plaisir à recevoir en cadeau un objet fabriqué à la main.

Autre différence majeure : les générations qui nous ont précédés préféraient réparer les choses au lieu de les jeter, mais de nos jours nous aurions du mal à vivre selon ces principes puisque, par exemple, il est impossible de réparer soi-même les appareils électroniques, et que, de toute façon, il en coûte moins cher d'acheter de nouveaux appareils que de les confier à des techniciens.

Pas touche à mon fouillis !

Nombreux sont ceux qui ne semblent pas conscients du fouillis dans lequel ils vivent. Ils y sont tellement habitués qu'ils ne se rendent pas compte du temps et de l'énergie qu'ils perdent à chercher leurs affaires partout, tout le temps. Le plus drôle est que, si on leur fait remarquer leur désordre, certains regimbent : « Pas touche à mon fouillis ! ». Ils prétendent pouvoir immédiatement retrouver tout ce qu'ils cherchent, mais ils ont tendance à rayer de leur mémoire toutes les heures qu'ils ont perdues à chercher en vain quelque chose, angoissés, furieux, accablés de maux de tête.

Petit questionnaire

Quelle raison invoquez-vous le plus souvent pour garder un objet ?

Il est comme neuf.	❑
Il est trop beau pour que je le jette.	❑
Il pourrait m'être utile un jour.	❑
Il aura de la valeur plus tard.	❑
J'en ai hérité, ou quelqu'un qui m'aime bien me l'a offert en cadeau.	❑
Il fait partie d'une collection.	❑
Quelqu'un pourrait en avoir besoin un jour.	❑
Je vais le réparer ou lui découvrir un nouvel usage.	❑
Il ne faut jamais rien jeter !	❑
Toutes ces raisons.	❑

Si vous avez coché au moins trois affirmations, je vous conseille de travailler sur le premier péché capital : vous gardez tout, que vous ayez besoin ou non de ces choses, qu'elles vous plaisent ou non.

Fouillis en cage et fouillis sauvage

Vous est-il arrivé d'échouer en essayant un truc de rangement réputé infaillible ? De deux choses l'une : soit le truc n'a pas réussi à vous débarrasser de votre défaut, soit le fouillis s'est résorbé temporairement seulement.

Je crois savoir pourquoi certains trucs de rangement se révèlent inefficaces. C'est qu'il existe en fait deux types de fouillis qui, vous vous en doutez, nécessitent des stratégies différentes. Comme pour les animaux de la jungle, il faut distinguer le fouillis « sauvage » du fouillis « en cage ».

Le fouillis en cage est généralement invisible et semble être contenu et « sous contrôle », en partie du moins. Par exemple, si vous ne savez pas où placer un objet, vous le mettez dans un endroit désigné pour le fouillis — un tiroir fourre-tout, un classeur, la soupente de l'escalier, une boîte sous le lit, le hangar, le garage, un coin du sous-sol, etc.

Quant au fouillis sauvage, il s'étend souverainement partout, il vous embarrasse, vous ennuie, et finit par vous rendre fou. Les choses s'entassent n'importe où, généralement sous votre nez, par exemple sur votre bureau, le comptoir de la cuisine, le plancher de votre chambre, la table du salon, l'intérieur de l'auto, le dessus des classeurs, le haut des garde-robes, les sacs à main, etc.

Le fouillis sauvage est sans limite. C'est comme une bête féroce qui rôde librement, vous menace impunément et vous cause une grande anxiété. Cette différence entre les fouillis explique pourquoi les trucs de rangement sont parfois inefficaces. Par exemple, l'idée de ranger ses affaires dans des boîtes peut paraître logique pour du fouillis en cage (tiroir, classeur, sous-sol, etc.), mais, si le plancher de votre chambre ou de votre bureau est jonché d'objets, il ne vous servirait à rien d'empiler des boîtes de rangement dans ces pièces.

La procrastination

L'habitude de tout remettre au lendemain aggrave souvent le fouillis sauvage et le fouillis en cage. Considérez l'accumulation de papiers et d'objets qui jonchent la table de cuisine, vos comptoirs ou votre bureau, et sachez que la procrastination explique en grande partie votre échec. Voici une démarche classique :

«Est-ce que je le garde?»

Traduction: «Je n'arrive pas à décider si je veux le garder ou non. Je vais le poser ici et je déciderai plus tard.»

«Où vais-je le mettre?»

Traduction: «J'ai décidé que *je vais le garder*, mais je n'arrive pas à décider *où* je vais le ranger. Je vais donc le poser ici une minute et je déciderai plus tard.»

«Comment vais-je m'en débarrasser?»

Traduction: «J'ai décidé de *ne pas le garder*, mais il faut que je décide comment m'en débarrasser. Je vais donc le poser ici...» Vous connaissez la suite.

«Je suis si épuisé!»

Traduction: «Bon. Je le garde et je sais où je vais le ranger, mais je suis trop fatigué pour le faire tout de suite. Je vais donc le poser ici en attendant.»

Et voilà comment le fouillis triomphe. La solution? Elle est simple et vous la connaissez pour l'avoir entendue toute votre vie: il s'agit de résoudre les problèmes sans attendre. Pour ce faire, apprenez à reconnaître ces instants où votre indécision génère du fouillis. La plupart du temps, le seul fait de vous en rendre compte suffit à vous convaincre de ne pas remettre à plus tard tri et rangement. Ce qui est nouveau et qui constitue la clé de votre réussite, c'est de *passer à l'action sur-le-champ*.

Peut-on domestiquer le fouillis? (Question piège!)

Ma comparaison est boiteuse parce qu'il existe une troisième catégorie d'animaux: les animaux *domestiques*. Voyons par exemple le cas de Georgia. Lorsqu'elle était petite, sa mère lui répétait que tout le monde a un tiroir fourre-tout dans la cuisine, qui déborde d'objets pêle-mêle et inutiles. Georgia croyait cela, jusqu'au jour où elle acheta un assortiment de petits contenants. De retour chez elle, elle les utilisa pour s'attaquer au «fouillis en cage». D'abord elle vida le tiroir fourre-tout et tria les objets (les élastiques dans un petit contenant carré, les stylos dans un contenant rectangulaire, les punaises dans un contenant rond, et ainsi de suite). Elle jeta la moitié des choses, les bouts de ficelle, les attaches de pain, les vieux choux et rubans d'emballage, etc. Soudain, le fouillis en cage fut domestiqué! Depuis lors, Georgia et son fils, Ricky, s'efforcent de ranger les choses dans les contenants qui leur sont destinés. Depuis qu'elle range tout sur-le-champ, Georgia ne se sent plus coupable, folle, stupide, désorganisée. En d'autres termes, une fois que le fouillis est domestiqué définitivement, ce n'est plus du fouillis.

Il y a fouillis et fouillis

La plupart des gens peuvent vivre dans un certain désordre à un moment donné de leur vie, et chacun se reconnaîtra sans doute dans une des catégories décrites ci-dessous, suivant la gravité du fouillis.

Le boulimique

Le boulimique amasse trop de choses chez lui ou au travail. Il a aussi du mal à se débarrasser de ce qu'il a, mais il essaie de contrôler le désordre en multipliant les cages censées le contenir. Parfois, en contemplant son désordre, le boulimique reste «insensible». Il ne voit plus à quel point son espace est encombré. Puis, en général, il finit par prendre conscience de la situation et passe alors par toute une gamme d'émotions :

— il se sent submergé ou dépassé par ses affaires ;

— il est envahi par l'anxiété, le stress et la culpabilité ;

— il regrette le temps qu'il a perdu à fouiller dans ses affaires pour retrouver quelque chose.

Pour mettre fin au chaos, il peut se lancer dans un ménage effréné.

L'accumulateur

Le fouillis de l'accumulateur est plus grave. Celui-ci ramène chez lui et collectionne quantité de choses ordinaires ou merveilleusement bizarres. Il n'a absolument pas besoin de ces choses, mais il est incapable de s'en défaire.

Si vous êtes un accumulateur, vous n'êtes sans doute pas très efficace. Vous égarez des renseignements importants, oubliez des rendez-vous, ne respectez pas les délais. Vous dites : «Je n'ai pas eu le temps de le faire», mais au fond vous savez que votre esprit est submergé par toutes les affaires qui s'entassent autour de vous. «Un jour, je vais tout ranger.» Hélas, ce jour n'arrive jamais.

Lorsque vous observez le désordre autour de vous, vous êtes persuadé que vous-même ou que quelqu'un d'autre utilisera un jour la moindre des babioles. Cela vous brise le cœur de jeter des choses qui sont en bon état et qui pourraient un jour servir.

Il en faut beaucoup à un accumulateur pour consentir à se débarrasser de ses affaires. Le plus souvent, ce qui le pousse à agir n'est pas une prise de conscience soudaine, mais certaines circonstances, par exemple la venue d'invités, le besoin d'avoir plus de place, la nécessité de retrouver un objet ou un document important, ou encore les menaces du conjoint qui songe à divorcer.

Quel est votre style ?

Les gens s'y prennent de toutes sortes de manières pour mettre leur vie sens dessus dessous. Certaines d'entre elles sont courantes, d'autres sont uniques. Que vous soyez boulimique ou accumulateur, vous reconnaîtrez sans peine au moins un de ces styles.

L'acheteur

Vous faites vos emplettes comme si vous étiez un aspirateur géant qui engouffre chaque chose qui se trouve à portée de la main. Si un article est en solde, vous n'en achetez pas un, mais dix. Vous justifiez de bien des manières vos achats, mais vous aimez à dire que « c'était une bonne affaire ».

Le receveur

Lorsque les amis de Jim se sont débarrassés de leur fouillis, ils sont tombés sur des trucs bons pour la poubelle. Jim s'est demandé s'il avait le mot « receveur » tatoué sur le front, parce que ses amis ne cessaient de lui donner leurs affaires — des horreurs ou carrément des rebuts.

Le plus drôle, lorsque Jim y repense, c'est qu'il avait encouragé lui-même ce comportement : il avait toujours l'air ravi de recevoir les trucs des autres et il leur disait gaiement qu'il s'en servirait. Ainsi, pendant que les autres liquidaient leur fouillis, Jim aggravait le sien. Ensuite il se sentait honteux de tout ce qu'il accumulait chez lui et au bureau.

Avec le temps, Jim a appris à cesser d'être un receveur. Ce n'est pas si difficile. Si vous croyez appartenir à cette catégorie, vous pouvez en faire autant. Vous trouverez dans ce manuel toutes les directives nécessaires, étape par étape, pour vous débarrasser de ce défaut.

Une bonne habitude à prendre

Lorsque les gens viennent déverser leur fouillis
et vous l'offrir en cadeau,
même si vous en avez vraiment envie,
une seule chose à faire : leur tourner le dos.
Les meubles, les livres et les vieux vêtements
sont des choses qu'ils adorent donner,
mais ne laissez rien entrer chez vous,
à moins d'avoir la place qu'il faut.

Le collectionneur en croisade

Vous ne vous contentez pas de collectionner des objets rares, superbes et précieux. Non, vous amoncelez tout et n'importe quoi : grille-pain brisés, élastiques, crayons mâchonnés, sacs de papier. Vous n'avez pas votre pareil pour flairer le potentiel des objets les plus communs. Malheureusement, ces choses semblent toujours trahir leurs promesses, mais vous les gardez malgré tout.

Le duplicateur

Vous est-il déjà arrivé, lors d'une séance de rangement, d'être étonné en découvrant que vous possédiez plusieurs objets semblables, sans raison ? Il y a longtemps, en nettoyant les placards de la cuisine, je suis tombée sur neuf bouteilles de colorant alimentaire vert. Je n'avais utilisé que quelques gouttes de chaque.

Avant que Deb vainque son fouillis, elle avait l'habitude d'aller racheter la chose qu'elle ne trouvait pas « tout de suite » dans son désordre. Par la suite, elle ne cessait de découvrir des objets qu'elle avait en double. Un soir, en compagnie de son mari et de leur fils, triant le contenu de quelques boîtes retrouvées au sous-sol, ils étaient tombés sur douze étuis à lunettes et cinq exemplaires du même disque de Noël !

L'amateur

Les gens ont toutes sortes de passe-temps. La menuiserie ou la couture sont des activités utiles, mais on ne peut en dire autant de la confection de cure-dents. Quoi qu'il en soit, les gens sont passionnés par leur passe-temps et affirment perdre la notion du temps lorsqu'ils s'y adonnent. Ce qu'ils font alors ne leur semble jamais être du travail.

Les amateurs collectionnent et accumulent toutes sortes de choses : livres, outils, tissus, cailloux, bijoux, fils, chandelles, verres, peintures, bouts de bois, etc., souvent de dimensions et de formes bizarres. Par exemple : dans quoi range-t-on un télescope ?

À la maison, le mari de Renée a rempli une pièce entière de trains miniatures. Pourquoi ? « Parce que nos enfants devenus grands ont quitté la maison, explique-t-elle, et parce que j'ai eu la gentillesse de renoncer à une chambre d'amis pour lui permettre de construire des villages que traversent ses trains. » La plupart des gens n'ont pas le luxe de consacrer une pièce entière à leur passe-temps et se contentent d'un placard ou d'une penderie où ranger leurs affaires. Cela dit, de nombreux artisans ont coutume, une fois l'an, de se débarrasser de leur matériel non utilisé (perles, tissus, etc.) pour éviter une fâcheuse accumulation. Adopter cette habitude pourrait vous aider à vous débarrasser d'objets inutiles.

Voici un bon conseil si vous souhaitez organiser votre passe-temps : regroupez les objets identiques et rangez-les dans des boîtes soigneusement étiquetées. Vous ne pourrez bien sûr pas tout empaqueter — par exemple, le vélo stationnaire ne rentre dans aucune boîte —, mais vous résorberez de beaucoup le fouillis.

Autre conseil : fixez des limites à vos chères accumulations. Dès que la ficelle, les dessins, les tuiles, les cartons ont atteint un certain niveau, faites-en le tri. N'attendez pas qu'il soit trop tard !

Le pourvoyeur de services

Carole avait l'habitude d'acheter des choses inutiles, mais dont un parent, un ami ou un collègue pourrait avoir besoin un jour. Elle a finalement abandonné ce comportement en prenant conscience de l'absurdité de la situation. En effet, même si quelqu'un avait eu besoin de ses achats, elle aurait oublié qu'elle les avait ou n'aurait pu les retrouver dans son capharnaüm. Voilà comment les choses s'accumulaient chez elle, anarchiquement, inutilement. Carole décida donc un jour de tout donner à un organisme communautaire pour une vente de charité.

Carole reconnaît aujourd'hui que sa propension à acheter des choses en aussi grandes quantités venait en majeure partie du fait qu'elle adore faire des emplettes. Cette constatation lui a permis de réduire considérablement ses dépenses et, par le fait même, son désordre.

Les métiers qui favorisent le fouillis

Nombreux sont ceux qui travaillent dans des domaines qui engendrent des productions matérielles qui risquent de causer du fouillis. Par exemple la vente (échantillons et articles promotionnels), les arts, l'édition, la confection et la couture, la charpenterie, l'aménagement paysager, la décoration, le design, l'horticulture, etc.

Madeleine, après avoir travaillé longtemps pour des entreprises à but non lucratif, se fit enseignante. Elle fut sidérée par le gaspillage de papier et par l'accumulation de matériel pédagogique qui sévissent dans ce milieu. Hélas, tout cela s'ajoutait au fouillis amassé chez elle au fil des années.

Ainsi, votre métier peut accroître le fouillis chez vous, puisque vous êtes parfois obligé de réunir beaucoup de choses pour faire un travail de qualité. Et, comme vous travaillez parfois à domicile, ou que vous manquez d'espace au travail, vous rapportez des choses chez vous.

La situation s'aggrave si, en quittant un emploi, vous ramenez à la maison tout ce que vous avez amassé au cours des années. Vous risquez alors de tout garder, au cas où vous décideriez de revenir un jour à ce travail. Si vous faites cela plusieurs fois, vous finirez par vous sentir comme un aimant à bricoles au milieu de votre fouillis géant.

Une autre raison peut expliquer votre habitude d'accumuler tant de choses. Il est possible que vous rassembliez autour de vous toutes ces choses parce que vous adorez votre métier. Vous gardez donc ces affaires parce qu'elles sont magnifiques, parce qu'elles vous inspirent et nourrissent votre âme. C'est ce qu'avait fait la mère de Johanne. Costumière pour le Metropolitan Opera de New York, elle avait le don de découvrir de superbes tissus. Elle pouvait s'en procurer des cargaisons, dont elle ne tirait parfois qu'un coussin ou qu'un chemisier, puis ces étoffes s'accumulaient chez elle. À la suite de la mort de sa mère, Johanne transbahuta partout avec elle ces tombereaux de tissus, durant vingt ans. Finalement, elle décida d'en faire don à une association caritative de Toronto qui restaure des meubles pour les démunis. L'histoire se termine bien, mais songez au temps et à l'énergie qu'il aura fallu, durant toutes ces années, pour transporter partout ces montagnes de tissus, et l'espace qui fut nécessaire pour les ranger !

Si vous croulez sous un chaos d'objets qui concernent votre profession ou votre vie personnelle, rassurez-vous : ce guide vous aidera à résoudre ces difficultés.

Voici déjà trois avertissements destinés à ceux qui travaillent dans les domaines qui favorisent le fouillis :

N'acceptez pas chez vous ni au travail d'énormes quantités de matériel que vous serez forcé de dissimuler pour ne plus voir.

Ce n'est pas parce que votre matériel professionnel s'accumule que vous devez permettre au fouillis de toucher d'autres domaines de votre vie.

Apprenez à limiter l'amoncellement d'objets et débarrassez-vous ou refusez d'acquérir ce qui outrepasse cette limite.

Le curateur

Vous avez conservé les souvenirs de vos enfants, de leur naissance jusqu'à la fin de leurs études. Pourtant, quelques objets aimés ne pourraient-ils pas évoquer ces souvenirs tout aussi bien que des piles et des piles de choses ? Quelques vêtements de bébé et un ou deux de leurs dessins ne pourraient-ils pas convenir ?

Pourquoi amassez-vous des souvenirs si vous ne les regardez jamais ? Il ne faut pas confondre fouillis et mémoire. Vos souvenirs sont dans votre cœur et vous n'avez pas besoin d'en conserver toutes les preuves matérielles. Apprenez à séparer le souvenir de l'objet.

Pourquoi est-il si difficile de ranger vos affaires ?

Peut-être êtes-vous attaché à votre fouillis parce que vous aimez beaucoup vos affaires, ou bien, si vous étiez pauvre dans votre enfance, le fait de conserver des élastiques, des boîtes et des jarres à biscuits ébréchées peut vous procurer un sentiment de sécurité ; mais peut-être aussi êtes-vous tout simplement incapable de vous en débarrasser. Passons en revue certaines idées susceptibles de vous aider à liquider une partie de votre fouillis.

> ## C'est incontestable
>
> **1.** Déclarer : « Mes parents (amis, collègues, voisins) déménagent dans un logement plus petit et me donnent leurs affaires », revient à dire : « Quelqu'un se débarrasse de son fouillis et je vais le mettre chez moi pour augmenter mon désordre. »
>
> **2.** Déclarer : « J'ai loué un entrepôt pour y mettre mes affaires », revient à dire : « Je suis incapable de jeter le moindre objet, alors je vais gaspiller mon argent pour entreposer un tas de choses inutiles. »

Pourtant, si vous traversez une période difficile, par exemple si vous perdez votre emploi, ce ne sont pas vos mille bandes élastiques ni vos sept jarres à biscuits qui vous aideront à faire vivre votre famille.

Gardez-vous des choses inutiles au cas où quelqu'un en ait besoin un jour ? Si oui, répondez à cette question : combien de fois un ami vous a-t-il demandé une de vos jarres à biscuits ?

Gardez-vous des choses qui ne vous plaisent pas ou dont vous ne vous servez pas uniquement parce que vous pourriez éventuellement en avoir besoin ? Sachez que plusieurs personnes ont conservé précieusement des illustrés, des images de hockeyeurs et des poupées pour découvrir que, des années plus tard, leurs « trésors » ne valaient pas grand-chose. Ainsi, le temps et l'espace gaspillés pour garder si longtemps ces choses n'en auront pas valu la peine.

D'autres accumulent des affaires par peur d'en manquer, achètent et stockent de la nourriture ou des produits de première nécessité « au cas où ». Ce comportement leur procure un sentiment de sécurité. Si vous êtes inquiet, prenez plutôt l'habitude d'économiser régulièrement de petites sommes d'argent. Au bout d'un certain temps, votre pécule aura grossi et vous sera nettement plus profitable que dix pots de café, vingt boîtes de mouchoirs en papier et trente conserves de thon.

Crédit supplémentaire

Cette semaine, faites les exercices mentaux suivants pour vous préparer à ranger vos choses. Premièrement, pour vous aider à vous débarrasser de quelques objets que vous adorez, imaginez-vous en train de :

— jeter tout ce qui a été taché et brisé, ou dont personne ne veut ;
— vendre ou offrir à quelqu'un toutes ces choses dont vous n'avez pas besoin, mais qui sont belles et qui pourraient plaire à d'autres ;
— dire adieu aux choses qui vous ont bien servi et qui vous ont laissé d'heureux souvenirs, mais qui s'abîment désormais dans la poussière.

Deuxièmement, imaginez-vous en train de :

— dire non à quiconque veut vous donner quelque chose ;
— résister à l'envie de ramasser un « trésor » que quelqu'un a jeté à la poubelle ;
— saisir un bel objet au magasin pour l'admirer, pour ensuite le remettre à sa place.

Plus vous vous exercerez mentalement, plus vous éliminerez facilement certains objets et plus vous saurez résister à l'envie de vous encombrer davantage.

Examinez votre bureau et votre espace vital d'un œil impartial.

— Y a-t-il un fouillis dont vous refusiez l'évidence ? Si oui, quels endroits vous surprennent le plus ? Dressez-en la liste :

_____

_____

_____

_____

— Choisissez un de ces endroits et mettez-vous au travail. Chaque jour (ou chaque fois que vous en avez l'occasion), tirez cinq choses de votre fouillis. Leur avez-vous trouvé un endroit qui leur convient ? Si oui, rangez-les.

Vous n'avez pas encore trouvé l'endroit qui leur conviendrait ? Trouvez-en un.

Si vous tombez sur des objets dont vous ne voulez plus, débarrassez-vous-en *maintenant*.

Croyez-vous que votre fouillis s'accumule parce que :

- A. vous gardez tout (que vous ayez besoin ou non de ces choses, qu'elles vous plaisent ou non) ?
- B. vous insistez pour ramener chez vous (ou permettre que se retrouvent chez vous) des choses dont vous n'avez pas besoin ?
- C. vous n'assignez jamais une place à un objet ? Vous mettez les choses de côté avant de « décider » de ce que vous allez en faire ?
- D. toutes ces réponses.

La fonction de ce questionnaire est de vous donner le recul nécessaire pour voir les choses différemment. Si vous avez répondu « Toutes ces réponses », ne vous découragez pas, car vous n'êtes pas une exception.

CHAPITRE 2

Une promenade sentimentale

L'abondance ne se mesure pas au nombre de nos possessions,
mais par ce dont nous jouissons.
JOHN PETIT-SENN

Laisser tomber les souvenirs, photos, collections ou cadeaux auxquels vous êtes très attaché peut être difficile. Cela est d'autant plus vrai à la mort d'un être cher. Il peut s'écouler des mois, voire des années avant de pouvoir décider de ce qu'on gardera et de ce qu'on détruira.

Lorsque ma mère est morte, nous avons dû réagir vite. Elle vivait en Floride et nous devions vider sa maison pour la vendre au plus vite si nous voulions éviter d'énormes charges — hypothèque, taxes, entretien, assurance, etc. En outre, la maison inhabitée aurait pu être vandalisée ou endommagée par les intempéries.

Quand je suis allée vider la maison de ma mère, ma fille adolescente, Kerry, m'accompagnait. Tout en triant les choses et en nous partageant des souvenirs, nos larmes et nos rires se mêlaient. Affronter cette épreuve seule aurait été pour moi une torture sur le plan émotif. J'ai eu de la chance qu'un être aimé fût à mes côtés. S'il vous arrivait de devoir vivre seul de tels événements, vous pourriez appeler une église ou un organisme communautaire pour réclamer de l'aide. On vous enverrait certainement une personne pour vous épauler.

Plus tard, Kerry et moi avons invité les amis de ma mère et les voisins à venir choisir des choses qui les intéressaient ou qui pouvaient leur être utiles. Nous espérions que les effets personnels de ma mère trouveraient preneurs, et cet espoir m'a permis de me séparer de ses affaires. Quant à Kerry, elle passait en revue chaque chose que je voulais garder : « Tu veux vraiment payer le transport de tout ça jusqu'à la maison ? Crois-tu vraiment avoir l'espace nécessaire pour tout ranger ? Et que feras-tu de ces choses ? Tu vas tout empiler dans des endroits inatteignables en faisant semblant que ça ravive tes souvenirs, et quand tu mourras je devrai m'en débarrasser. »

Kerry fut si persuasive et si sensée que, quelques semaines après le décès de ma mère, nous nous sommes débarrassées de ce qui restait des affaires de ma mère. Nous avons seulement conservé sa Bible, des cadres, des bibelots, des accessoires de service, quelques décorations de fête et l'ange qu'on plante au sommet du sapin de Noël. Ni ma fille ni moi ne voulions du service de porcelaine, c'est pourquoi nous l'avons donné, et nous n'avons pas regretté cette décision : nous avions gardé intacts les beaux souvenirs de nos vacances auprès de ma mère.

Finalement, nous ne nous souvenons même pas aujourd'hui de ce dont nous nous sommes débarrassées cette semaine-là. Mais nous n'oublierons jamais ma mère. Je crois que nous n'avons pas besoin d'un fouillis pour évoquer les êtres chers.

Se préparer à s'en débarrasser

Vous devez être prêt à dire adieu à une partie de votre fouillis, car vous ne pourrez pas aller de l'avant tant que vous n'aurez pas jeté les objets dont vous ne voulez pas ou dont vous n'avez pas besoin. D'ailleurs, vous êtes sans doute conscient depuis longtemps que certains objets qui vous rappellent de beaux souvenirs encombrent néanmoins votre vie et que de nombreux souvenirs merveilleux se passent très bien de supports matériels.

Cela dit, je m'engage à ne jamais vous demander de jeter vos trésors sentimentaux ; ces choses-là, vous devez les garder précieusement. Le but de ce livre est de vous aider à triompher du fouillis qui vous angoisse et qui empiète sur votre espace vital, mais, si vous aimez consacrer temps, espace et énergie à ces souvenirs et que cela ne dérange personne, alors ne changez rien à vos habitudes.

Demandez-vous tout de même si vous gardez des choses par obligation ou par crainte de mal faire. Le cas échéant, la meilleure façon de vous séparer d'un objet que vous aimez, c'est de le donner à une association caritative ou de l'offrir à quelqu'un qui saura l'apprécier.

Donner des articles pour bébés

Écoutons Ingrid : « Ma voisine m'a fait remarquer que mon garage était rempli d'énormes boîtes pleines de poussettes d'enfant, de berceaux et d'autres articles pour bébés. J'ai dit que je gardais ces choses pour les transmettre à la nouvelle génération. Ma voisine m'a rétorqué que ce n'est pas forcément à nos propres enfants que nous transmettons nos affaires, que nous pouvons les offrir sans attendre à qui en a besoin.

« Ces paroles ont changé ma vie. Ce que ma voisine ignorait, c'est que je conservais aussi presque tous les livres et les jouets de mes enfants. Je me suis alors rendu compte que je pouvais donner ces choses sans déranger le moins du monde mes enfants, et je savais même à qui les offrir.

« Je connaissais une femme qui attendait un bébé et dont le mari venait d'être licencié. Je lui ai demandé si elle avait besoin d'articles pour enfants et elle m'a répondu, les larmes aux yeux, que j'étais la réponse à ses prières. En effet, ni son mari ni elle n'avaient de parents dans ce pays pour les aider. Mon offre tombait donc à pic.

« J'ai tout donné à cette femme (sauf quelques objets ayant appartenu à mes enfants) et j'en éprouve un profond sentiment de satisfaction. Je sais qu'elle et son mari ont apprécié ce geste au plus haut point. »

Petit questionnaire

Je ne sais pas dire non et j'accepte tout ce
qu'on me donne. ❑
Êtes-vous enclin à amasser des souvenirs
en prétextant que :

– vous êtes attachée à votre vieille robe de
mariée ou à la garantie d'une radio achetée
il y a quinze ans ? ❑

– vous allez un jour relire les bulletins de vos enfants
ou vos notes de cours du collège et de l'université ? ❑

– vous craignez que votre histoire personnelle disparaisse si vous ne conservez pas les tickets et les programmes de chaque spectacle auquel vous avez assisté ? ❏

– vous craignez que votre mémoire s'efface si vous ne gardez pas chaque souvenir de chaque lieu que vous avez visité, de chaque voyage que vous avez fait ? ❏

– vous croyez qu'en vous raccrochant à vos vieilles choses vous serez fidèle à votre jeunesse ou à des gens que vous aimez ? ❏

Si vous avez répondu oui à une de ces questions, vous êtes très sensible à la signification émotive de tout ce que vous possédez. Ce livre vous aidera à choisir ce que vous pouvez garder et à disposer du reste.

Les souvenirs

Nous ne tenterons pas de nous débarrasser de tous nos souvenirs, mais de réduire le nombre d'objets qui nous submergent, puisque le fouillis est le pire ennemi des souvenirs heureux.

— Gardez le souvenir s'il vous rend heureux, mais jetez-le s'il ne vous procure plus de plaisir ou si vous n'avez aucune bonne raison de le garder.

— Si vous avez des enfants, donnez à chacun une «boîte à souvenirs» dans laquelle ils mettront ce qui leur tient à cœur. Si la boîte déborde, ils apprendront l'importance de limiter leurs possessions.

— Si vos enfants sont grands et qu'ils ont quitté la maison, rassemblez toutes les choses que vous avez conservées de votre enfance et de la leur. Faites une boîte pour chaque membre de la famille. N'oubliez pas les empreintes de main en argile, les cœurs de St-Valentin faits à la main, les cartes de vœux, boucles de cheveux, les livres d'enfants, les photos, etc. Ensuite, invitez-les chez vous et offrez-leur ces cadeaux en insistant sur le fait qu'il est important qu'ils en aient la garde.

— Regroupez d'autres objets que vous avez mis de côté et dont vous ne vous servez pas. Laissez les enfants choisir ceux qui leur plaisent, puis vendez, donnez ou jetez le reste. C'est ce que feraient vos enfants si vous mouriez demain.

— Vous pouvez rendre hommage à la mémoire d'un être aimé en donnant sa batterie de cuisine, son encyclopédie, ses jouets ou son équipement de sport à des associations caritatives. Ces objets seront utiles et appréciés.

— Votre père adorait sa collection de disques et votre mère, sa collection de petites cuillères, mais le fait que vous vous en débarrassiez ne signifie pas que vous n'aimez plus vos parents.

— Disposez avec originalité les choses que vous voulez garder. Par exemple, agencez par thèmes vos souvenirs de voyage ou d'événements particuliers.

C'est incontestable

Vous débarrasser des souvenirs d'un être cher ne signifie pas que vous ne l'aimez plus.

Vous séparer d'un cadeau qu'on vous a fait ne signifie pas que vous n'aimez plus la personne qui vous l'avait offert.

Vous défaire de ce qui a appartenu aux êtres disparus ne signifie pas que vous allez les oublier.

Quand une collection se transforme en fouillis

Les collections sont une merveilleuse source de plaisir et de réconfort. Hélas, elles se transforment en fouillis lorsqu'elles ne remplissent plus leur rôle, quand vous n'y prenez plus de plaisir ou lorsqu'elles occupent un espace précieux que vous pourriez utiliser à d'autres fins. Dans ce cas, certaines décisions s'imposent : mettez fin à votre collection. Disposez convenablement les objets que vous avez collectionnés.

Il existe plusieurs façons de mettre fin à vos collections d'objets. Pour certains, il suffit d'arrêter d'acheter des modèles réduits d'avions, des éteignoirs, des bougies, etc. Mais cela n'est pas efficace pour tout le monde.

Sophie a collectionné les poupées pendant des années. Elles occupaient une vitrine, quatre étagères et un vaisselier avant d'envahir toute la maison. Un jour, Sophie s'est rendu compte que sa passion devenait déraisonnable : ses poupées étaient de vrais nids à poussière et créaient une pénible impression de désordre.

Si vous manquez de place, il est temps non pas de tout entasser, mais plutôt de réduire le volume de vos affaires.

La collection de Sophie lui avait procuré beaucoup de joie, mais à présent cela devait cesser et elle décida de ne plus acheter de poupées. Toutefois, elle regretta bientôt sa décision : son travail l'obligeait à voyager et elle aimait ramener des poupées des quatre coins du monde. Mais, une fois qu'elle avait montré ses poupées à ses amis, elle les rangeait dans un coin et ne les regardait plus. En fait, le plaisir de Sophie n'était pas dans la possession : c'était de chercher des trésors et de dénicher des raretés. Voyant cela, elle mit au point un autre plan : elle choisit ses poupées préférées et les disposa soigneusement dans la vitrine, puis elle donna les quatre cent cinquante autres ! Tous les mois, elle emballait une trentaine de poupées de tous les pays et les apportait à l'hôpital pour les distribuer, avec l'aide de bénévoles, aux petites filles. Aujourd'hui, Sophie est devenue la « dame aux poupées » qui fait la tournée des hôpitaux pour rendre le sourire à des enfants malades.

Sophie n'a rien perdu du plaisir de chercher de superbes poupées au cours de ses voyages et elle en profite au maximum avant de les donner. On peut dire qu'à sa collection de poupées se sont ajoutés les sourires et les étreintes des petites filles.

Merveilleuses obsessions

Un des participants à une de mes conférences sur les collections nous a dit qu'il y a chez lui un écriteau portant l'inscription : *La collection avoisine la maladie mentale.* Cela nous a fait rire, mais plusieurs collectionneurs se sont en effet dits obsédés par leur passion. Certains avouent même avoir une collection de collections et reconnaissent qu'ils ont dû apprendre à se raisonner. Le collectionneur qui y parvient peut se contrôler et profiter pleinement de sa collection d'objets au lieu d'en être l'esclave.

Anne Morrow Lindbergh aborde le sujet dans son ouvrage *Gift from the Sea* : « On ne peut pas posséder tous les merveilleux coquillages qu'il y a sur la plage. On ne peut en ramasser que quelques-uns, mais leur petit nombre les rend d'autant plus beaux. »

Si vous avez du mal à cesser d'amasser vos pièces de collection, si vous n'arrivez pas à vous en débarrasser ou si vous manquez d'espace, voici quelques trucs :

— empaquetez toute votre collection en vous disant que vous en profiterez à nouveau à un autre moment ;
— mettez-la au grenier, au sous-sol, dans le garage ou dans un autre lieu où elle sera en sécurité ;
— exposez vos choses loin de la poussière, à l'abri des chats, dans un espace qui leur est destiné.

C'est incontestable

Premier postulat d'Emmett : Si vous comptez vous organiser demain, passez à l'action aujourd'hui même.

S'organiser alors qu'on croule sous un fatras est très difficile, voire impossible. Par contre, s'organiser une fois que tout a été rangé est une tâche qui ne demande pratiquement aucun effort.

Une bibliothèque, des étagères fixées au mur ou une vitrine peuvent abriter une grande collection d'objets.

Un filet suspendu au plafond d'une chambre d'enfant peut contenir des animaux en peluche. Si l'enfant se lasse de sa collection, incitez-le à donner ses peluches à d'autres enfants.

Une boîte en carton ou des chemises en plastique vous aideront à organiser votre collection de magazines ou d'illustrés.

Ne construisez pas un abri pour votre collection et ne louez pas un entrepôt pour l'accueillir, mais apprenez à vous raisonner.

Annoncez à vos parents et amis que vous ne collectionnez plus ce qui désormais vous submerge et encombre votre maison. Vous décevrez ceux qui aimaient à dénicher pour vous l'objet rare, mais il en va de votre santé mentale.

Si vous conservez des pièces rares, déterminez leur valeur réelle ou potentielle. Vous vous rendrez peut-être compte que vous investissez une petite fortune dans une collection qui ne vaudra pas grand-chose plus tard.

Si vous songez à léguer votre collection à vos enfants, ayez *maintenant* une conversation sincère avec eux pour savoir si ces objets leur plaisent ou non. Mettez-les au courant de ce qui a de la valeur. Êtes-vous le genre de personne à ranger ses objets de valeur dans des boîtes poussiéreuses rangées n'importe où ? Si oui, les personnes qui trouveront ces boîtes après votre mort les jetteront peut-être, parce qu'elles ignoreront la valeur de leur contenu.

Dans le cas de la tante de Georges, Nora, ce n'est pas la mort, mais un déménagement dans un foyer qui a obligé la famille à vider sa maison. L'idée que Nora se faisait d'une vie frugale se résumait à ne jamais rien jeter. Vider la maison fut une tâche colossale. Tout ce que contenait le sous-sol remplit deux bennes à rebuts.

Peu de temps après le départ de Nora pour le foyer, Georges assista à une réunion de famille au cours de laquelle sa nièce fit une déclaration déconcertante : « Nous croyions tous que tante Nora était pauvre. Eh bien, je viens d'apprendre que les boîtes que nous avons données ou jetées contenaient des objets en cristal de Waterford extrêmement coûteux qui lui venaient de sa mère. »

Les cadeaux : c'est l'intention qui compte

Avez-vous gardé tous les cadeaux que vous avez reçus depuis votre premier anniversaire ? Vous avez sans doute oublié ceux qui vous les ont offerts, mais vous les gardez, comme si les gens vous croyaient lié éternellement à ces cadeaux. Pourtant, vous n'avez pas ce genre d'exigence lorsque vous offrez un cadeau à quelqu'un, n'est-ce pas ? Dites-vous que la réciproque est vraie.

Donnez ou jetez les cadeaux dont vous ne voulez plus. Les intéressés ne s'en apercevront probablement pas. Si certains le remarquaient, dites-leur simplement :

— Je l'aimais bien, mais il était brisé.

— Je ne sais plus où je l'ai mis.

— Il s'est abîmé et j'ai dû m'en débarrasser.

— Une famille pauvre en avait plus besoin que moi, alors je le leur ai donné. Et si votre ami vous demande : « Une famille pauvre avait besoin d'un coussin en velours à paillettes de Las Vegas, avec le nom d'Elvis dessus ? », répondez : « Eh oui ! »

Suggestion de cadeaux qui ne sont pas encombrants

Bien communiquer vos désirs est la clé pour recevoir les cadeaux qui vous plaisent. Lorsqu'on vous demande ce que vous aimeriez recevoir lors d'une occasion spéciale, *dites-le*. Si on ne vous pose pas de questions, dites que vous seriez heureux de faire des suggestions. Soyez précis. Décrivez l'objet en question et indiquez le magasin où vous l'avez vu. Ou encore, désignez plusieurs objets dans un catalogue, à des prix différents, pour permettre à la personne de choisir votre cadeau. Vous recevrez ainsi quelque chose qui vous fait vraiment plaisir.

Voici quelques suggestions de cadeaux utiles :

— certificat-cadeau de restaurant ou de spa pour un massage ;

— carte de membre d'un musée, d'un zoo ou d'un organisme culturel ;

— deux heures à vous aider à ranger vos penderies ;

— billets de cinéma, de théâtre ou de concert ;

— don à votre œuvre de charité préférée ;

— livre que vous pourrez, une fois que vous l'aurez lu, donner à un ami ou à la bibliothèque.

Que faire si une personne ignore ou ne comprend pas que vous faites des efforts pour mettre votre maison en ordre, et qu'elle vous offre un cadeau dont vous n'aurez jamais besoin ? Voici ce que Mike avait à dire à ce sujet : « Il arrive qu'on se retrouve coincé avec un cadeau complètement inutile. Bien sûr, on pourrait avouer à la personne qui nous l'offre qu'on ne s'en servira pas, mais nul n'ose avouer une chose pareille par crainte de blesser l'autre. Alors, attendez un peu, puis, un bon jour, secrètement, sans faire de bruit, débarrassez-vous de ce cadeau encombrant. »

Laissez-le au musée

Chaque fois qu'Otto admirait quelque chose dans un magasin, sa femme lui demandait s'il voulait cette chose. Il refusait, mais sa femme revenait plus tard dans ce magasin, seule, pour lui acheter ce qu'il avait tant admiré.

En recevant le cadeau dont il ne voulait pas, Otto ne disait rien pour ne pas blesser sa femme, mais un jour il finit par lui expliquer que le fait d'admirer un objet en vitrine était un peu pour lui comme contempler une pièce au musée. La beauté de l'objet avait beau le fasciner, il n'avait nul besoin de le posséder ni d'accumuler les belles choses chez lui. Si sa femme voulait acheter ces choses pour elle, elle était libre de le faire, mais elle ne devait pas conclure qu'il voulait nécessairement tous les objets qu'il admirait.

Aujourd'hui, lorsque Otto s'attarde devant un bel objet, sa femme lui dit: « Je sais, je sais, on va le laisser au musée pour que les autres puissent aussi en profiter ! »

Limitez les cadeaux lors des fêtes

Lors d'une fête où les invités apportent des cadeaux, vous avez le choix : soit vous ne dites rien et vous recevez des trucs inutiles, soit vous suggérez que les gens apportent autre chose que des cadeaux. Par exemple, votre carton d'invitation peut préciser ceci : « Pas de cadeau, mais, si vous y tenez absolument, apportez des denrées que nous donnerons à la banque alimentaire. »

S'il s'agit d'une réception familiale traditionnelle, les invités peuvent offrir des cadeaux aux enfants seulement. Cela dit, certains parents se montrent très créatifs pour réduire le nombre de cadeaux lors des fêtes d'anniversaire. Ainsi, pour l'anniversaire de leur fille, des parents ont demandé aux enfants d'apporter, au lieu des cadeaux, du matériel de bricolage (des perles, des plumes, de la gouache, des pinceaux, etc.), et les grands frères de la petite fille ont donné des chemises qu'ils ne mettaient plus. Chaque enfant a enfilé une « chemise à peinture » par-dessus ses vêtements et, au lieu de faire des jeux, tous se sont amusés à peindre sur de grandes feuilles de papier. C'était leur cadeau à rapporter chez eux. Les enfants se souviennent encore de cette fête d'anniversaire et personne ne s'est plaint de ne pas avoir reçu un sac de bonbons.

Autre exemple : le carton d'invitation d'une fête précisait que chaque invité devait apporter un jouet, non pas pour le garçon fêté, mais plutôt pour les enfants nécessiteux. Au lieu de faire des jeux, les jeunes ont grimpé dans la camionnette de leurs hôtes pour aller déposer les jouets à l'association caritative du quartier.

Je vous entends soupirer. Vous n'arrivez pas à croire qu'un enfant puisse avoir envie de ce genre de fête. Vous n'êtes pas le seul, plusieurs personnes ont cette réaction à de telles suggestions, mais songez à l'autre possibilité, à la fête d'anniversaire typique : les invités apportent jouets et vêtements dont votre enfant n'a pas besoin, lui qui a déjà tout. Puis, surexcité, dépassé par les événements, votre enfant dit : « C'est tout ? » Et vous vous arrachez les cheveux, parce qu'il a tant de choses qu'il ne sait plus où les mettre. Sa chambre est un fouillis total et votre enfant ne ressent aucune joie ni aucune reconnaissance, pour la simple raison qu'il a *tant de choses que rien n'a plus de valeur à ses yeux.*

Il est temps d'arrêter de croire que nous n'avons aucun contrôle sur le fouillis qui envahit nos demeures. Il s'agit de limiter la prolifération des objets matériels sans heurter les sentiments de ceux qui vous aiment et qui ont envie de vous offrir des cadeaux.

Classer les photos

Rassemblez toutes vos photos et divisez-les en catégories simples.

— Personnes
— Années
— Animaux de compagnie
— Noël
— Vacances

Mettez les photos classées dans des boîtes à chaussures, des classeurs, des tiroirs, des enveloppes ou des paniers (ne conservez que les bonnes photos et jetez les mauvaises, celles qui sont floues ou insignifiantes). Ensuite, procurez-vous des albums et profitez d'une journée de pluie pour y mettre toutes vos photos, puis étiquetez bien chaque album.

Brooke se réserve uniquement les meilleures photos d'elle et donne les autres à ses neveux et nièces, avec un album à chacun. Parfois, elle en expédie par la poste à des amis ou à des parents, sachant que cela leur fera plaisir.

Crédit supplémentaire

Examinez votre collection d'objets.

— En tirez-vous encore du plaisir ?

— Devez-vous trouver une manière originale d'exposer ces choses ?

— Devez-vous la circonscrire, faute de place ?

— Pourriez-vous vous débarrasser des éléments que vous n'aimez plus ?

Si vous voulez prévenir l'abondance des cadeaux, dites à vos parents et à vos amis que vous ne collectionnez plus les objets qui vous encombrent.

Si vous croyez que quelqu'un veut vous offrir un cadeau, trouvez le moyen de lui faire comprendre ce que vous aimeriez recevoir.

DEUXIÈME PARTIE

Débarrassez-vous du fouillis une fois pour toutes

CHAPITRE 3

Cinquante façons
de dire adieu à votre fouillis

Le sage n'amasse pas les trésors. Plus il donne aux autres,
plus il découvre le trésor qui est en lui.

LAO-TSEU

S e débarrasser d'une possession matérielle est un acte important. Cela fait de la place pour « autre chose » qui peut être
l'énergie, la sérénité, la joie, ou une version améliorée ou
renouvelée de ce que vous avez laissé partir. L'anecdote sui-
vante, que j'appelle le « cercle du canapé », illustre à merveille
cette idée.

Lorsque Danielle et son mari, Alex, déménagèrent, ils se
demandèrent s'ils devaient transporter l'immense canapé dans
leur nouvelle maison où le salon était plus petit. L'homme qui
emménageait à leur place voulut l'acheter, mais Danielle et Alex
lui donnèrent le meuble. Quelques semaines plus tard, un ami du
couple acheta un nouveau canapé et leur offrit le sien, plus petit.
Les mois passèrent, et puis, à la naissance de leur fils, Danielle et
Alex durent mettre un berceau dans la pièce où se trouvait le petit
canapé et cédèrent donc le meuble à un ami qui en avait besoin.
Ainsi, chaque étape s'est avérée profitable pour tous, et le cercle
du don a parfaitement fonctionné.

Ne craignez jamais de donner vos possessions matérielles,
car des événements étonnants peuvent alors se produire.
(Alex dit que chaque fois qu'il donne un outil dont il ne se
sert pas, un autre outil dont il a besoin atterrit dans sa vie.) Ce
chapitre regorge de trucs pour vous aider à dire adieu à votre
fouillis.

Prendre le temps de décider

La première étape pour liquider votre fouillis est de décider où iront vos affaires (que vous vouliez les vendre ou les donner), puis d'imaginer comment et où vous ferez cela.

Comment vendre

Placez une annonce dans les journaux.

Punaisez des affichettes sur les babillards du quartier, par exemple au supermarché.

Organisez une vente-débarras avec des amis ou des voisins.

Les ventes-débarras exigent temps et efforts, et il pourrait vous être pénible de voir des inconnus fouiller dédaigneusement dans vos affaires. Si vous en faites une quand même, voici une astuce : au lieu d'indiquer le prix de chaque article, placez une pancarte qui dit : *Faites-moi une offre que je ne peux pas refuser !*

Marchandez vos affaires dans une vente de succession, un marché aux puces ou une vente de charité.

Mettez amis, voisins, parents et collègues au courant de ce que vous vendez. Dites-leur de passer chez vous quand ils veulent.

Vendre sur le Web

Proposez vos choses sur *eBay.com*.

Transmettez à tous vos correspondants, par courrier électronique, la liste de ce que vous voulez vendre ou donner.

Proposez vos choses sur *auctions.yahoo.com*.

Consultez *freecycle.org*, un organisme qui offre gratuitement des babillards électroniques destinés aux gens de votre région.

Affichez une liste électronique d'un groupe de quartier. Il est surprenant de voir ce que les gens peuvent emporter.

Pour vous débarrasser d'un ordinateur, contactez des organismes de bienfaisance ou des entreprises spécialisées dans le recyclage des appareils électroniques.

Faites du troc

Créez un lieu d'échange au travail, par exemple une boîte dans laquelle les gens déposent des choses à donner.

Organisez chez vous une « fête du troc ». Invitez parents et amis à venir s'échanger des vêtements, par exemple.

Faites une soirée de poker où les participants mettent en jeu leurs vieux disques.

Offrez des livres à une organisation caritative, à une école, à une bibliothèque.

Optez pour le don

Trouvez une cause juste et faites un don. Vous ne gagnerez pas d'argent, mais on vous remettra peut-être un reçu pour votre déclaration de revenus. Sachez que certains organismes de charité acceptent même votre vieille auto, de l'équipement de bureau, des meubles, etc.

Voici la liste de certains endroits et organismes où vos dons seront appréciés :

— Armée du Salut.
— Associations caritatives.
— Société de Saint-Vincent-de-Paul ; Disciples d'Emmaüs.
— Refuges pour les itinérants ou les femmes battues.
— Société protectrice des animaux (couvertures).
— Hôpitaux (revues, jouets et vêtements pour les patients de la salle d'urgences dont les habits ont été coupés ou sont inutilisables).
— Cliniques médicales (revues, stylos, jouets).
— Hospices de vieillards (plantes, livres, couvertures, tapis, bibelots, etc.). Allez porter vos choses en personne.
— Écoles (fournitures artistiques ou de bureau, matériel pour la décoration, le bricolage ou la couture).
— Bibliothèques scolaires ou municipales.
— Associations d'anciens combattants.
— Troupes de théâtre (meubles, draperies, vêtements, bijoux).
— Ouvroirs ou œuvres de bienfaisance qui collectent des fonds.
— Etc.

Ils viennent à vous

Contactez des organismes qui s'occupent des amputés de guerre, des aveugles, des déficients intellectuels, etc., et demandez-leur de venir chercher vos dons. Certains groupes d'anciens combattants et autres organismes de bienfaisance peuvent même ajouter votre nom à leur liste d'appel et vous contacter lorsque leur camion passe dans votre quartier.

Contactez la mairie pour savoir comment vous débarrasser de façon sécuritaire des produits dangereux, tels que les piles usagées, l'huile à moteur, la peinture, les insecticides, les bombes aérosol, etc.

Appelez les personnes que vous connaissez

Appelez ceux qui sont au courant des justes causes défendues dans votre quartier : bibliothécaires, secrétaires de village ou de mairie, membres du clergé, dirigeants communautaires, conseillers municipaux, personnel des centres de services familiaux, etc.

Aidez les nécessiteux

Chez vous ou au travail, mettez dans un placard une poche en plastique ou une boîte destinée à recueillir les dons. Ainsi, quand quelqu'un voudra se débarrasser de quelque chose, il pourra l'y glisser.

Faites preuve de créativité lorsque vous donnez aux autres. (Misha a offert à une maison d'hébergement pour femmes battues six valises qui contenaient chacune un animal en peluche. Malgré l'aspect démodé des valises, elles étaient préférables aux tristes sacs en plastique dans lesquels beaucoup de femmes ont l'habitude de transporter leurs affaires. Les enfants de ces femmes ont apprécié les peluches, de même que les femmes sans enfant.)

Si vous n'avez pas porté des vêtements depuis un an, débarrassez-vous-en.

Disposez les choses que vous voulez donner sur la pelouse avant avec une pancarte portant l'inscription *Gratuit*. Vous pouvez faire cela après une vente-débarras, avec les objets invendus.

Donnez un outil

Si vous avez des outils en double ou dont vous ne vous servez jamais :

— faites-en cadeau à de jeunes mariés ;
— donnez-les à quelqu'un qui emménage dans sa première maison ou qui vient de divorcer ;
— donnez-les à un centre de formation professionnelle ;
— donnez-les à une troupe de théâtre ;
— donnez-les à une église ou à une banque alimentaire ;
— donnez-les à des gens qui doivent tout recommencer à zéro (après un incendie, par exemple).

N'envoyez jamais rien de malpropre

Ne donnez que des choses en bon état. Les nécessiteux ont droit à la dignité : ils ont déjà assez souffert. Personne ne voudrait de vos vieilles babioles tachées, abîmées, brisées, inutilisables.

Il est temps de jeter

Même si vous détestez jeter des choses, parfois il le faut. Personne ne voudrait de cette boîte à café cabossée, ni de ce grille-pain brisé, ni de ces vêtements élimés.

Jetez à la poubelle les choses inutilisables.

Louez une benne à rebuts et faites le grand ménage du sous-sol. Transportez vos déchets dans une décharge publique. (Un jour, mon amie Sheila, qui a soixante-dix ans, m'a envoyé ce mot : « Je me suis découvert un nouveau passe-temps : les décharges. Quelle joie de se tenir sur la plate-forme de la camionnette et de jeter par-dessus bord des boîtes de détritus ! »)

Prévenez la famille

Si vous possédez des objets de famille ou des photos qui ne font que ramasser la poussière (vous ne tenez pas vraiment à ces choses, mais vous n'arrivez pas à les jeter), voici quelques suggestions :

Appelez vos frères, sœurs, parents et enfants pour leur offrir ces choses auxquelles ils sont peut-être attachés.

S'ils n'en veulent pas, appelez cousins, cousines, oncles, tantes, neveux et nièces.

Si personne n'en veut, contactez des amis, des voisins. Vous pourriez faire des heureux.

Débarrassez-vous des vêtements que vous ne portez plus

Offrez des vêtements aux associations caritatives. Marge était démarcheuse pour le compte d'un laboratoire pharmaceutique. Lorsqu'elle apprit l'existence d'un organisme qui recueillait des vêtements pour femmes à bas revenus qui font leurs débuts sur le marché du travail, elle alla leur porter de nombreux ensembles et tailleurs. Depuis lors, chaque fois qu'elle range sa garde-robe, Marge met de côté pour ces femmes des bijoux, foulards, souliers, etc. et elle en ressent joie et fierté.

Une bonne habitude à prendre

Il est facile de donner ses affaires
quand ceux qui les reçoivent les apprécient.

Vendez vos habits dans une boutique de vêtements d'occasion.

Allez les porter dans un foyer de jeunes travailleurs.

Donnez-les à une œuvre de bienfaisance pour une prochaine vente de charité.

Prêtez régulièrement des choses à une famille où vivent de nombreux jeunes enfants. Ne demandez pas qu'on vous rende les vêtements.

Et si c'était une œuvre d'art ?

Créez des albums-souvenirs pour les enfants avec des classeurs à anneaux. Placez-y photos, certificats, cartes et lettres agrémentés de vos commentaires. Plus tard, les enfants chériront ces souvenirs que vous avez rassemblés pour eux.

Ramassez tout ce qui pourrait servir aux arts plastiques (magazines, bobines de fil, boutons, petits objets en plastique, crayons, cartons, ciseaux, pots de colle, pinceaux, gouache, etc.) et faites-en don aux scouts, à une école élémentaire ou à un centre des loisirs.

Fixez une date

Mettez dans une boîte tous les articles dont vous ne vous êtes pas servi cette année et inscrivez la date du jour sur la boîte. Si vous n'avez pas rouvert cette boîte six mois plus tard, débarrassez-vous-en ou offrez-la à quelqu'un. Ne regardez pas ce qu'elle contient.

Si vous n'avez pas utilisé ces choses, elles ne vous ont pas manqué, alors le moment est venu de vous en débarrasser.

Partagez vos revues

Donnez-les à un service d'aide à l'enfance qui s'en servira pour le bricolage.

Laissez-les dans la salle d'attente du médecin, du dentiste, ou dans la salle d'urgence d'un hôpital.

Donnez-les à des salons d'esthétique.

Au bureau, déposez-les dans le coin repas.

Donnez-les à un foyer de personnes âgées ou à un centre de soins infirmiers.

Donnez-les aux bibliothèques qui les vendront lors des collectes de fonds.

Faites appel à des connaissances

Demandez aux amis de venir chercher les affaires dont vous n'avez plus besoin, mais que vous n'arrivez pas à jeter. Laissez-les décider de ce qu'ils en feront. Au début de ma « convalescence », alors que je commençais à être plus ordonnée, j'avais demandé à mon amie Dorothée, qui déteste le fouillis, de m'aider à me débarrasser de certaines choses. Devant chaque objet, Dorothée disait : « Je connais quelqu'un à qui ça plaira. » Et elle détalait avec son chariot. Je savais qu'elle se dirigeait tout droit vers la poubelle, mais je m'en fichais, parce que j'étais incapable de le faire moi-même.

Il existe d'autres manières de trouver les personnes ou les organismes qui recevront avec plaisir les effets dont vous voulez vous débarrasser. Faites preuve d'imagination, restez aux aguets, et renseignez-vous pour savoir où vous voulez que votre fouillis se retrouve. Vous pourrez ainsi lâcher prise plus facilement et dire adieu aux nombreuses choses qui ne vous sont plus aujourd'hui d'aucune utilité.

Crédit supplémentaire

Décidez de ce que vous allez faire des choses dont vous ne voulez plus.

Préparez-vous avant de vendre ou de donner vos affaires. Organiserez-vous une vente-débarras ? Fixez une date, recrutez des gens pour vous aider, préparez vos affiches et vérifiez si vous avez besoin d'un permis. Vous préférez faire un don ? Dans ce cas, contactez les organismes de votre choix pour savoir ce qu'ils acceptent, et fixez les modalités de livraison.

Déterminez un lieu où vous mettrez les boîtes et les sacs destinés aux dons ou à la vente. De cette façon, chaque fois qu'un membre de votre famille voudra se débarrasser de ses affaires, il saura où les mettre.

Agissez dès maintenant, ne remettez plus cela à plus tard.

CHAPITRE 4

Savoir par où commencer

*Attendre que tout soit parfait avant de faire un geste, c'est comme attendre
que tous les feux passent au vert pour entreprendre un voyage.*
KAREN IRELAND

Vous venez de franchir la première étape et vous savez maintenant comment vous allez vous débarrasser de ces affaires
qui ne vous plaisent plus et dont vous ne vous servez plus. Il est
temps de vous attaquer à votre fouillis. Surtout, ne reportez plus
l'échéance, sinon, vous ne le ferez jamais. Débutez sur-le-champ,
essayez de consacrer régulièrement du temps à cette tâche, au
moins une heure par semaine.

Concentrez-vous sur une petite surface

Pour commencer, ne vous attaquez pas à toute la cuisine, mais
d'abord à un comptoir; ni à tout le sous-sol, mais à une seule
étagère. Triez soigneusement vos choses par catégories, par exemple
le papier, ensuite les outils, etc. Progressez ainsi, étape par étape.

Chronométrez-vous et consacrez une heure entière à votre fouillis

Programmez votre minuteur pour soixante minutes. Le tic-tac crée un
sentiment d'urgence. Pourquoi s'arrêter après une heure? Parce que
ranger est une opération qui exige des décisions difficiles. Au bout
d'une heure, vous serez si épuisé que vous aurez besoin d'une pause.

Ne tolérez aucune distraction

Shirley a du mal à se concentrer. Elle veut ranger le porte-revues,
mais se met à feuilleter un magazine. Elle veut faire le ménage de
la cuisine, mais elle téléphone à sa mère au sujet d'une recette.

Elle veut s'attaquer au fouillis qui jonche son bureau, mais elle envoie des courriels à des amis. À la fin de la journée, elle a commencé plusieurs choses sans en finir une seule, ou bien elle a décidé de tout remettre au lendemain. Quand on le lui fait remarquer, elle invoque sa capacité à faire plusieurs choses en même temps…

Tirez parti des erreurs de Shirley en suivant cette règle : tant que le minuteur est en marche, concentrez-vous sur ce que vous avez à faire durant l'heure entière. Vous verrez, vous serez agréablement surpris par le travail que vous abattrez. Cela signifie que, si vous vous attaquez à une boîte de bijoux des années soixante ou à vos rédactions de l'école primaire, vous ne vous arrêtez pas pour vous replonger dans vos souvenirs tant que la sonnerie du minuteur n'a pas retenti.

Récompensez-vous

Après avoir passé une heure à faire du rangement, gâtez-vous sans vous sentir coupable : buvez votre boisson préférée, regardez votre émission de télévision favorite, dégustez des chocolats, etc. Mais attention ! Ne vous récompensez pas en faisant des achats inutiles qui pourraient aggraver votre fouillis !

Une bonne habitude à prendre

Si vous ne disposez jamais d'une heure entière pour ranger vos choses, contentez-vous de cinq ou dix minutes par jour. Vous pourriez par exemple, profiter des publicités à la télé pour mettre de l'ordre dans le tiroir fourre-tout.

Partez du bon pied

Vous savez à présent qu'un environnement encombré engendre une pensée encombrée qui favorise la procrastination. Voilà comment peut naître le fouillis. La meilleure façon de mettre fin à ce cercle vicieux est de commencer du bon pied.

Décidez à l'avance de ce que vous ferez des choses dont vous vous débarrassez

Étiquetez les sacs et les boîtes : « À jeter », « À livrer », « À ranger », « À vendre » ou « À donner ».

Munissez-vous de contenants pour recueillir toutes ces choses. Sinon, vous ferez la navette avec vos affaires d'un endroit à un autre. Soit dit en passant, *le plus gros contenant doit être la corbeille à papier.*

En outre, prévoyez des sacs ou des boîtes pour les articles que vous garderez et que vous classerez plus tard. Étiquetez-les clairement.

Commencez par ce qui dépasse

Au bureau, commencez par ranger le dessus du classeur, l'étagère, le bord des fenêtres et les piles sur le sol. Dans la salle à manger, débarrassez d'abord le comptoir avant de vous attaquer à la table. Ainsi, quand vous serez prêt à vous attaquer à votre bureau ou à la table de cuisine, vous disposerez de l'espace nécessaire pour déplacer et trier vos affaires.

Appelez un ami pour vous aider à prendre des décisions

Le plus difficile, quand on fait du rangement, c'est de décider de ce qu'on garde et de ce qu'on jette, puis de savoir où l'on mettra tout ça. Pour vous aider dans cette tâche, vous pouvez faire appel à un ami.

Jetez, recyclez ou débarrassez-vous du maximum de choses

Décidez dès le départ que vous allez liquider votre fouillis. Si vous ne savez que faire de tel objet, jetez-le.

Recrutez un ami pour vous débarrasser de votre fouillis

Après avoir assisté à une de mes conférences, Brynn m'a envoyé un courriel pour me faire part de ses remarques :

Chère Rita,

Vous aviez raison ! Lorsque j'ai appelé mes amis à la rescousse, ils se sont précipités pour me donner un coup de main ! Mon amie Jessica dansait de joie quand elle m'a aidée à vider mon placard et elle n'arrêtait pas de crier : « Génial ! Je jette ! » Cependant, il faut inviter les bonnes personnes. Par exemple, si j'avais écouté ma sœur, qui est aussi peu ordonnée que moi, j'aurais tout gardé. Elle a carrément saboté mon plan et l'a fait avec jubilation. Aujourd'hui j'ai repris mes esprits et mon projet de rangement. Comme vous le disiez, un jour je serai peut-être capable de faire ce travail seule, mais pour l'instant j'ai besoin des lumières de mes amis.

Jetez les choses dans les situations suivantes :

— Vous aviez oublié que vous les aviez.

— Elles sont brisées ou inutilisables.

— Vous ne vous en êtes pas servi depuis des mois, voire des années.

— Elles n'ont ni la bonne taille, ni la bonne couleur, ni le bon style.

— Elles sont encombrantes, ou très sales, et vous n'en avez plus besoin.

Ne vous en faites pas : si vous ne revoyez plus ces objets, vous n'y penserez plus. Et, si vous ne les aimez plus aujourd'hui, vous ne les aimerez sans doute pas davantage demain.

C'est le premier pas qui coûte

Le plus difficile, c'est de commencer. Tout désencombrer est certes nécessaire mais, ce faisant, vous craignez de vous séparer de certaines choses. Débarrassez-vous d'abord de quelques objets, pour observer vos réactions, puis, quand vous vous sentirez plus à l'aise, débarrassez-vous progressivement du reste.

Le défi de Linda était de ranger le contenu de ses coffres à bijoux. Elle ne possédait que quelques « vrais » bijoux, tout le reste n'étant que des babioles. C'est que, durant une trentaine d'années, elle avait acheté toutes sortes de parures (boucles d'oreille, colliers, bracelets) pour accompagner certaines tenues et elle les avait conservées longtemps après s'être débarrassée des vêtements. Si elle perdait une boucle d'oreille, elle ne jetait pas l'autre. Si elle cassait un collier ou un bracelet, elle les gardait quand même, ne pouvant se résoudre à s'en séparer.

C'est incontestable

1. Le fouillis attire le fouillis. Bien des gens n'encombreront pas une surface libre, mais ils sèmeront la pagaille sur une table même légèrement encombrée.

2. La meilleure façon d'avoir une maison bien tenue, c'est d'avoir peu de choses à entretenir.

3. Nous possédons tous des choses auxquelles nous tenons, du moins pour un temps, et puis, un beau jour, ces choses perdent leur charme à nos yeux et se transforment en fouillis.

4. Ranger est un acte qui empire la situation, du moins au début. En effet, il faut tout vider pour faire le tri — qu'il s'agisse d'un placard, d'un porte-monnaie ou d'un tiroir de bureau.

Chaque année, Linda demandait qu'on lui offre le même cadeau pour son anniversaire : un coffre à bijoux. Elle décrivait sa chambre à coucher comme un « entrepôt de coffres à bijoux ». En effet, il y en avait partout, et elle possédait tant de bijoux qu'elle n'arrivait plus à savoir ce qu'elle avait. Ainsi, quand elle voulait porter un bijou particulier, elle était incapable de le retrouver et elle en achetait un autre.

Voici la stratégie qu'elle employa : chaque soir, elle se mit à trier le contenu d'un coffre en écoutant de la musique. C'est ainsi qu'elle se débarrassa enfin d'un tas de colifichets et que, au fil des mois, elle retrouva avec plaisir certains beaux bijoux qu'elle croyait perdus. Quant au reste, elle décida un jour de le donner à une association communautaire qui aidait les femmes à retourner sur le marché du travail — des femmes qui manquaient surtout de vêtements et de bijoux.

À présent, Linda trouve plus facile de dire adieu à ses bijoux, et elle rit en pensant au combat qu'elle a mené au cours de ses premières séances de triage.

Soyez fin stratège

Rangez fréquemment les articles inutilisés dans des endroits faciles d'accès.

Si votre comptoir de cuisine est jonché d'appareils et d'ustensiles, évaluez à quelle fréquence vous les utilisez. On peut utiliser régulièrement l'ouvre-boîte et le presse-citron, mais moins souvent le mixeur, le moule à gaufre ou l'énorme robot culinaire. Ainsi, les choses dont vous vous servez peu ne devraient pas envahir le comptoir.

Qui se ressemble s'assemble

Si vous trouvez dans un tiroir, pêle-mêle, cinq sachets de paprika, douze piles et trois décapsuleurs, vous auriez intérêt à être mieux ordonné. Ainsi, vous éviterez de racheter sans cesse les mêmes choses.

Regrouper, non pas éparpiller

À la suite d'une de mes conférences, Robert s'est rendu compte que, chez lui, personne ne prenait l'habitude de ranger ensemble les objets semblables. Il m'écrivit :

« Les gants de baseball sont avec les jouets des enfants, les battes dans la remise et les balles, dans une garde-robe.

« Dans la cuisine, les tasses à mesurer sont dans une armoire, les spatules dans un tiroir, les moules dans la cuisinière et le papier sulfurisé dans le garde-manger.

« Les antiseptiques sont dans la salle de bains du sous-sol et les pansements, dans l'armoire à pharmacie de la salle de bains à l'étage. Cela signifie que, chaque fois qu'un enfant se coupe, je dois monter et descendre pendant que ma femme le console. Il serait pourtant plus logique de rassembler les fournitures de premiers soins au même endroit.

« J'ai donc décidé de faire beaucoup de réorganisation. »

Un endroit pour chaque chose.

Chaque chose doit être rangée à la bonne place. Pour ce faire, posez-vous ces quelques questions :

À quelle fréquence utiliserez-vous telle chose ? Pourquoi laissez-vous l'étuveuse sur le comptoir si vous ne vous en servez qu'une fois par mois ?

Qui s'en sert ? Si vos enfants se servent régulièrement d'un objet, laissez-les décider de l'endroit où il sera rangé.

Où vous en servez-vous ? Il peut paraître illogique de mettre le fil dentaire dans le même tiroir que la télécommande du téléviseur, sauf si vous vous nettoyez les dents en regardant la télévision...

Quand vous en servez-vous ? Savez-vous où ranger les objets saisonniers ?

Avez-vous besoin de plus d'un de ces objets ?

Déplacez les choses qui ne sont pas à leur place

Une fois que vous avez trié votre fouillis, vous vous retrouvez toujours avec une pile d'affaires dans un coin : le linge à laver ou à donner, les papiers à classer ou les choses qui vont ailleurs. Si vous ne liquidez pas sur-le-champ ce nouvel amoncellement d'objets, vous aurez travaillé pour rien. Quand vous vous attaquez au fouillis, vous devez aller jusqu'au bout.

Exercez-vous à mettre chaque chose à sa place

Efforcez-vous de toujours remettre les choses à leur place quand vous avez fini de vous en servir. Une bonne habitude est aussi facile à acquérir qu'une mauvaise.

La bonne stratégie

Devriez-vous d'abord vous attaquer au plus caché ou au plus visible ?

Quand Alice a décidé de se prendre en main, elle s'est d'abord attaquée au fouillis le plus visible, celui de la cuisine. Les piles de papiers, étaient si hautes sur les comptoirs que son frère lui faisait remarquer à la blague que, si elle vendait un jour sa maison, ses comptoirs seraient comme neufs, n'ayant jamais vu un grain de poussière.

Beaucoup de gens commencent par le salon parce que, dès que le ménage est fait en ce lieu, ils ont envie d'inviter parents et amis à la maison.

Une femme m'a confié que, lorsqu'elle reçoit des visiteurs, elle cache tout son fouillis dans sa chambre et referme la porte. Plus tard, cet épouvantable désordre la décourage et elle a du mal à trouver le sommeil au milieu de ce capharnaüm. Voilà pourquoi elle doit donc s'attaquer au plus vite à sa chambre à coucher.

Petit questionnaire

Voulez-vous commencer à liquider le fouillis :
    le plus facile ? ❏
    le plus difficile ? ❏
    le plus caché (fouillis en cage) ? ❏
    le plus visible (cuisine, salon) ? ❏
    le plus angoissant ? ❏
    le plus coûteux (factures égarées, jamais
    acquittées, qui entraînent un supplément
    de retard) ? ❏
    qui gêne le plus votre travail ? ❏
    qui vous empêche d'inviter des amis ? ❏
    qui vous gâche le plus la vie ? ❏

Si vous avez répondu oui à au moins une question, vous êtes sur la bonne voie.

Les habitudes de rangement et la vie sans fouillis

Bien évidemment, vous n'avez pas à faire tout ce qui est suggéré dans ce guide, mais vous observerez d'énormes changements si vous réussissez à prendre quelques bonnes habitudes. Si vous apprenez à remettre les choses à leur place après vous en être servi, vous serez ravi de toujours trouver ce que vous cherchez.

> ## Une bonne habitude à prendre
>
> — Ne vous attachez pas à quelque chose si vous n'en avez pas besoin, si vous ne l'utilisez pas ou si vous n'y pensez jamais.
>
> — Cessez d'aggraver le fouillis existant.
>
> — Trouvez une place pour chaque chose.
>
> — Rangez chaque chose à sa place, et ce, dès maintenant.
>
> — Décidez immédiatement de ce que vous voulez jeter, de ce que vous voulez garder, et de l'endroit où vous rangerez ces choses. Si vous avez des doutes, débarrassez-vous-en.

Crédit supplémentaire

1. Faites la liste des récompenses qui vous motiveront à vous débarrasser de votre fouillis.

_____

_____

_____

2. Choisissez un endroit que vous voulez ranger. Au cours des trois prochaines journées, consacrez une heure par jour à cette tâche. Utilisez un minuteur, si possible, et entamez votre première heure de ménage maintenant. Il est temps de partir du bon pied.

Lorsque vous aurez fini de nettoyer une surface ou un lieu, vous aurez probablement envie de fêter, de vous féliciter, de faire une pause… et d'oublier du même coup de vous attaquer à un autre endroit. Décidez donc à l'avance de ce que sera votre prochain projet, une fois que vous aurez terminé celui-ci. Notez-le ici :

_____

_____

_____

3. Si vous voulez vraiment avoir le sentiment d'être une personne ordonnée, choisissez un nouveau projet tous les deux mois. (Cet horaire vous donne amplement le temps de venir à bout de chaque projet.) Par exemple, en janvier, vous vous occupez de votre bureau, en mars, vous vous attaquez à la cuisine et en mai, vous rangez votre chambre.

4. Commencez dès aujourd'hui à vivre en suivant cette règle simple : une place pour chaque chose et chaque chose à sa place.

CHAPITRE 5

Attention ! Nouveau fouillis en vue !

Il doit y avoir plus dans la vie que tout avoir.
MAURICE SENDAK

Une fois que vous avez éliminé la majeure partie de votre fouillis et que vous avez rangé le reste, vous avez pratiquement repris le contrôle. Il vous reste à apprendre à éviter les rechutes.

Si, malgré vos efforts, le fouillis réapparaissait, ne vous découragez pas. Ce chapitre vous permettra de connaître les sept causes qui favorisent le retour insidieux du fouillis. Vous y trouverez des solutions à ces problèmes.

Je le rangerai plus tard dans cette pile

Vous avez fait le tri, vous vous êtes débarrassé des choses inutiles et avez bien rangé le reste, à part cette pile d'objets que, pour une raison quelconque, vous n'arrivez pas à jeter. Il se peut qu'il y ait là des documents à classer, des choses à réparer, etc. Mais vous êtes fatigué et vous avez envie de laisser là cette pile dont vous vous occuperez «dès que vous aurez le temps». L'ennui, c'est que vous n'aurez jamais le temps de le faire si vous ne le faites pas immédiatement. Autrement dit, si vous remettez cette tâche à plus tard, vous risquez d'être bientôt envahi de nouveau par le fouillis. Solution : suspendez un écriteau bien en vue qui dit : *Trier assis ; placer et ranger debout.*

Line se retrouvait toujours avec des piles de choses qui traînaient chaque fois qu'elle faisait du rangement. Hélas, elle avait l'habitude d'abandonner là ces piles pour toutes sortes de mauvaises raisons : elle était fatiguée, elle manquait de temps, elle devait s'occuper des enfants. Résultat : le fouillis réapparaissait peu après et annihilait tous ses efforts. Frustrée, Line devait tout recommencer à zéro.

À présent, quand elle a une heure devant elle pour ranger, elle programme le minuteur pour quarante minutes, ensuite elle profite des vingt minutes qui restent pour ranger les recettes dans une chemise, aller mettre la pelle dans le garage et déposer dans sa voiture la boîte de choses à donner. Line a retenu cette leçon : il vaut mieux ranger parfaitement bien un petit espace que de débroussailler à moitié une vaste pièce.

Pourquoi ai-je toujours l'impression de farfouiller ?

Vous est-il déjà arrivé de ranger un tiroir, un sac à main ou une valise pour ensuite y fourrager rageusement, à la recherche de quelque chose ? Tout se retrouve sens dessus dessous et vous voilà aux prises avec un nouveau fouillis.

Certaines personnes parviennent, il est vrai, à extraire le chandail dont elles ont besoin du bas de la pile en la laissant intacte. Disons que ni moi ni ma famille ne faisons partie de cette confrérie... Nous sommes des farfouilleurs-nés, comme beaucoup de gens.

Solution : il y a des farfouilleurs dans toutes les familles et chaque foyer abrite des endroits qui favorisent cette mauvaise habitude difficile à supprimer. Il convient donc d'obéir à ce dicton : si le vent est trop fort, baissez la voile. Comment ? Voici quelques suggestions :

— Est-ce que vous devenez fou en cherchant une cuillère à mesurer ou une spatule dans un tiroir de la cuisine ? Videz ce tiroir et rangez soigneusement les objets dont vous vous servez quotidiennement. Par exemple, vous pouvez suspendre les tasses et les cuillères à mesurer à des crochets, au dos des portes du placard ou mettre les spatules, fouets, etc., dans un vase près de la cuisinière. Ces quelques changements libéreront le tiroir sans encombrer le comptoir.

— Au lieu de tout jeter pêle-mêle dans un sac à main, achetez plutôt un sac à compartiments et rangez certains objets toujours au même endroit.

— Suspendez tee-shirts, jeans et chandails légers dans votre garde-robe. Cela vous permettra de visualiser ce que vous voulez porter au lieu d'avoir à plonger au fin fond d'un tiroir en laissant un champ de bataille derrière vous.

Comment faire une valise dans laquelle vous ne serez pas tenté de farfouiller

Anne avait horreur de voyager parce que, après avoir sorti les premiers vêtements de sa valise, le reste était froissé et pêle-mêle. Et puis il n'y avait jamais assez de cintres à l'hôtel pour suspendre toutes ses affaires dans la garde-robe.

Voilà pourquoi Anne s'est procuré une valise munie d'une boucle pour suspendre un maximum de vêtements — même sa chemise de nuit et sa sortie de bain. Et elle range le reste dans des sacs d'une contenance de cinq litres (par exemple un sac de chaussettes, un sac de sous-vêtements, un sac de collants). Une fois à l'hôtel, il lui faut trente secondes pour suspendre son cintre dans la garde-robe et pour glisser les sacs en plastique dans un tiroir. Lorsqu'elle quitte l'hôtel, l'exercice inverse est tout aussi simple et rapide.

— Suspendez un classeur muni de poches dans votre placard et rangez-y collants, chaussettes, gants et foulards.
— Suspendez vos colliers à des crochets dans un placard. Si vous possédez de très jolis colliers, pourquoi ne pas les mettre en valeur ? Sue a planté une vingtaine de clous de tapissier sur une moulure de 70 centimètres de long sur sept centimètres de large, et elle a fixé le tout au mur de sa chambre. En y suspendant ses colliers, elle a éliminé le fouillis de son coffre à bijoux, et puis l'effet est superbe.

En résumé, prêtez attention aux objets pêle-mêle et aux endroits problématiques, et voyez s'il y a moyen de contrôler la situation.

Je suis trop occupé pour ranger

Si vous vous croyez trop occupé pour ranger vos affaires, c'est peut-être parce que vous n'avez pas une idée réaliste du temps nécessaire à cette tâche. En vérité, quelques minutes suffisent parfois à améliorer la situation.

Solution : procurez-vous un chronomètre et mesurez la durée d'une séance de rangement. Par exemple, allez dans la salle de bains pour ranger les peignes et le tube de dentifrice, accrocher les serviettes, etc.; allez dans votre chambre pour suspendre les chemises sur des cintres, mettre le linge sale dans le panier, faire le lit; allez dans votre bureau et mettez de l'ordre dans vos documents, disposez les stylos dans une boîte, jetez les vieux papiers dans la corbeille. Vous verrez, tout cela ne prendra que quelques minutes.

Kim a eu l'idée de placer une grande corbeille dans le garage. Ainsi, chaque fois qu'elle sort de sa voiture, elle vérifie s'il y a des déchets à jeter (papiers, canettes, mouchoirs, etc.) avant de prendre ses sacs de provisions ou son porte-documents. Ainsi, l'intérieur de l'auto de Kim est toujours impeccable !

Lorsque nous courons comme des fous, nous devons nous rappeler qu'une pause de trente secondes pour ramasser ou ranger quelque chose n'a aucun impact sur notre horaire, mais nous permet de limiter le fouillis et de nous sentir mieux.

Voici quelques maximes qui sont inscrites sur une plaque, dans la cuisine de mon voisin :

— Si tu le portes, accroche-le.

— Si tu le fais tomber, ramasse-le.

— Si tu le salis, lave-le.

— Si tu en renverses, essuie-le.

— Si tu l'allumes, éteins-le.

— Si tu l'ouvres, referme-le.

— Si tu le déplaces, range-le.

— Si tu le brises, répare-le.

— Si tu le vides, remplis-le.

— Si ça sonne, réponds.

— S'ils ont faim, nourris-les.

— S'ils pleurent, console-les.

Je ne pense jamais à faire ça.

Avez-vous remarqué qu'il est plus facile d'assister à des réunions qui ont lieu à jour fixe ? Vous ne les oubliez jamais. Y assister est devenu un automatisme, une habitude. Il en va de même pour l'ordre et le rangement. Fixer un horaire régulier pour vos chasses au fouillis vous aidera à vous en souvenir et à accomplir le travail.

Marie, par exemple, examine son garde-manger une fois l'an, avant Noël, quand les associations caritatives récoltent les denrées destinées aux banques alimentaires. Elle en profite pour se débarrasser de ce qui encombre souvent ses étagères, comme ces dix boîtes d'une nouvelle soupe qui n'a pas eu le succès escompté.

Comme Marie, vous pouvez lier votre chasse au fouillis à une date précise, à une saison ou à une habitude quelconque. Par exemple :

— Au début de l'été et de l'hiver, débarrassez-vous des vêtements que vous n'aimez plus, qui ne vous vont plus ou que vous avez achetés par erreur. Encouragez vos enfants à prendre cette habitude.

— Passez en revue les vêtements avant de les mettre dans le lave-linge et jetez les pièces abîmées et devenues inutilisables.

— Profitez des pubs à la télé pour trier revues, journaux et catalogues.

— Au début de chaque saison, examinez placards de cuisine et garde-manger. Débarrassez-vous de ce dont vous ne vous servez pas et faites des dons aux banques alimentaires.

— Rangez votre sac à main, votre portefeuille et votre voiture chaque week-end. Vous commencerez ainsi la semaine frais et dispos, sans fouillis.

— Après les courses, débarrassez le réfrigérateur de ce que vous ne mangerez pas avant d'y ranger vos emplettes. N'attendez pas que les aliments moisissent.

Au secours ! Quelqu'un dérange tout dans la maison !

Que faire lorsque quelqu'un qui vit sous votre toit, votre conjoint, un enfant, ne remet jamais rien en place ? Peut-être avez-vous déjà essayé en vain la discussion, le sarcasme, les cris ?

Solution : ne les lâchez pas d'un pas.

Josée a remis au coupable de la maisonnée, son fils Alain, un carnet à spirale, un stylo et un chronomètre, en disant : « Nous devons cerner le problème, suis-moi. » Tous deux se sont rendus dans la cuisine pour examiner le fouillis accumulé sur le comptoir. Josée a demandé à son fils de la chronométrer pendant qu'elle rangeait un verre, une assiette et des couverts dans le lave-vaisselle. Alain a noté le résultat dans son carnet. Ensuite, dans la chambre d'Alain, Josée a chronométré son fils pendant qu'il rangeait ses vêtements éparpillés. Voilà comment Alain a compris que ce n'était pas long de tout ranger au fur et à mesure. Aujourd'hui, il est plus ordonné.

Cette méthode n'est peut-être pas infaillible, mais dans la plupart des cas, elle porte ses fruits.

Autre solution : lorsque le fautif accepte de faire du rangement, mais qu'il hésite à se débarrasser d'un objet, vous pouvez, tel un entraîneur, lui souffler d'une voix pleine d'amour et de gentillesse : «Tu conserveras toujours le souvenir de ces trois disques cassés. Ces disques cassés vivront à jamais dans ton cœur, mais il est temps de leur dire adieu.» Si cette séparation lui cause de l'anxiété, vous pouvez suggérer à cette personne de mettre dans une boîte une partie de ses affaires et de ranger cette boîte au sous-sol pour quelques mois. Si la personne arrive à vivre longtemps sans ses affaires, elle acceptera peut-être plus facilement de s'en débarrasser.

Troisième solution : on peut parfois jeter le fouillis de quelqu'un qui a le dos tourné. À vous de voir si la chose est possible. Shannon, qui a réussi à vaincre le fouillis, m'a confié cette observation : en général, la plupart des fautifs ne retrouvent pas la moitié de leurs affaires. On peut donc profiter de leur absence pour liquider discrètement des choses. Il s'agit bien sûr de s'attaquer d'abord à ce qui est caché, enfoui sous un tas de trucs, et de progresser graduellement.

Il arrive que les fautifs acceptent de se débarrasser de leur fouillis à condition de ne pas être seuls ou de ne pas être présents lors de l'opération. Profitez-en pour les envoyer faire une promenade durant le nettoyage. Sinon, vous les aurez sur le dos et ils voudront sans doute récupérer tout ce que vous vouliez jeter.

Lorsque les enfants de Jeanne ont quitté la maison, ils ont laissé derrière eux un indescriptible fouillis de boîtes. Un jour, Jeanne en a eu assez et leur a dit au téléphone : «Si vous ne venez pas chercher vos affaires qui traînent partout dans la maison, je donne tout à l'Armée du Salut.» Le week-end suivant, les enfants avaient fait place nette chez leur mère !

Quatrième solution : il est impossible de changer les gens qui refusent de changer, et certaines personnes ont besoin de leur fouillis. Le cas échéant, attribuez-leur un lieu retiré, bien à eux, et promettez-leur de ne pas y aller. Cela peut être une petite pièce, un placard, la moitié de la cave, un coin du garage. Il se peut que ces personnes aient simplement besoin d'un endroit où ils peuvent s'entourer de leur cher fouillis. Essayez de ne pas vous moquer d'eux. Par contre, si le fouillis débordait des limites que vous aviez fixées, vous auriez le droit d'intervenir et de tout nettoyer à votre convenance.

Je déciderai… plus tard.

Plus de la moitié du fouillis est générée par notre incapacité à prendre les décisions qui s'imposent au moment propice. Il peut s'agir de garder ou non un objet, de trouver l'endroit où le ranger, de choisir le ton d'une réponse à un courriel, etc.

Solution: prenez conscience que vous ne remettez pas au lendemain le rangement de votre fouillis, mais votre prise de décision. Affichez un écriteau où vous aurez écrit: *Décide-toi maintenant!*

Si vous vous retrouvez toujours avec les mêmes papiers en main sans savoir où les mettre, ou si vous fouillez sans cesse le même tiroir sans jamais trouver ce que vous cherchez, prenez une décision *maintenant* et agissez sur-le-champ: classez vos papiers, faites le tri dans votre tiroir.

C'est difficile de laisser passer une bonne affaire.

Je commence toujours mes conférences sur la gestion du stress par ces deux questions: Quelle est la cause principale de votre anxiété? Comment réagissez-vous dans ces situations?

Les réponses les plus courantes sont: «Mon fouillis m'angoisse. Je réagis en allant faire des emplettes.» Une autre réponse commune est celle-ci: «Ce qui m'affole le plus, c'est de ne pas avoir assez d'argent pour payer mes factures. Ma réaction? Je sors m'acheter des affaires.» Je demande alors aux participants s'ils comprennent la relation entre leurs affirmations. Tous ne voient pas la contradiction.

Faire des achats peut générer un fouillis ahurissant. Ces dernières années, l'activité la plus populaire des familles étasuniennes est la promenade au centre commercial, mais les gens ne savent pas toujours ce qu'ils y cherchent. Le but est justement d'errer au hasard des allées en cherchant quelque chose qui va hurler dans une vitrine: «Achète-moi!» Les États-Unis sont un pays de mégaconsommateurs qui achètent ce dont ils n'ont pas besoin et qui ne savent pas où le ranger, faute de place.

Si vous êtes de ces gens qui achètent sans cesse des choses inutiles, pour le simple plaisir d'acheter, croyez-vous que cela vous rende heureux? Si oui, pour combien de temps? Souvenez-vous de tout ce que vous avez acheté dernièrement. Ces choses vous procurent-elles encore de la joie aujourd'hui? Peut-être n'avez-vous aucune idée de l'endroit où vous les avez rangées ou de ce qui leur est arrivé. Ou, pire encore, vous avez dépensé une fortune le mois dernier pour des choses dont vous n'avez aucun souvenir. Dans ce cas, on peut dire que votre bonheur a été de courte durée, non?

Certaines personnes sont incapables de se raisonner et dépensent exagérément, au point de décider un jour de consulter un psychologue. Lors d'une de mes conférences, un participant a dit: «Ma situation financière est lamentable. J'ai honte d'avouer combien je dois aux établissements de crédit, et je me fais du souci, parce que je ne mets pas d'argent de côté pour les études de nos enfants ou pour notre retraite. Je dépense au-delà de mes moyens pour acheter des jouets dont mes enfants n'ont pas besoin, ce qui ajoute au désordre de ma vie. En fait, j'ai besoin d'aide. Je crois que j'ai besoin d'un thérapeute.»

J'ajouterai une question: Quel enseignement vos enfants peuvent-ils tirer d'une telle attitude? Si vous voulez venir à bout de votre fouillis, vous devez absolument arrêter de causer du désordre dans votre vie.

Une bonne habitude à prendre

Lorsque vous achetez quelque chose, débarrassez-vous d'autre chose.

Une cravate pour une cravate, une paire de souliers pour une paire de souliers.

Folie des soldes

Certaines personnes ayant dompté leur désordre ne peuvent cependant pas résister aux aubaines. Que font-elles? Elles achètent en solde des choses pour les autres, et ce sont elles qui se retrouvent avec du fouillis supplémentaire.

Comment savoir quand une bonne affaire n'en est pas une ?

Qu'il s'agisse d'un article en solde au lendemain d'une fête, d'une vente-débarras ou d'une aubaine quelconque, ce n'est jamais une bonne affaire si cela ajoute à votre fouillis, si cela produit du chaos dans votre vie et vous culpabilise.

Certaines personnes refusent de reconnaître leur faiblesse quand une bonne affaire se présente, même si cela a des répercussions négatives dans leur vie. Par exemple Katie, voisine de Julie, qui se vantait de résister aux bonnes affaires et de ne jamais encombrer inutilement sa maison. Julie la croyait, parce que Katie avait une maison fonctionnelle et bien rangée, mais elle avait remarqué que, à Noël, Katie redoutait les décorations, s'en plaignait et finissait par y renoncer.

Cela semblait bizarre parce que, en d'autres occasions, Katie décorait tout superbement. Un jour, Julie alla voir sa voisine et Katie lui ouvrit pratiquement en larmes, épuisée. Son salon était jonché de boîtes. Elle dit : « Je viens juste de descendre ces boîtes du grenier. Je pourrais décorer la ville entière ! » Julie lui demanda comment elle avait pu accumuler tant d'ornements. « J'ai acheté toutes ces décorations dans les soldes de janvier, répondit Katie. Au fil des ans, j'en ai accumulé trente-sept boîtes ! »

Solution : si votre collection d'ornements est si énorme que l'idée de décorer pour les fêtes vous paralyse, vous pouvez résoudre le problème en prenant l'habitude de réduire votre collection à chaque fête. En déballant vos décorations, vous allez tomber sur des articles que vous n'avez jamais utilisés et que vous n'utiliserez jamais. Débarrassez-vous-en sur-le-champ en les donnant à des membres de la famille qui en ont besoin et qui en feront bon usage. Si vous possédez des ornements de Noël qui ont une valeur sentimentale, faites-en cadeau à des proches qui sauront les apprécier. Ainsi, vous pourrez bientôt envisager de décorer la maison pour Noël en toute sérénité. Pour éviter que le problème ressurgisse, n'achetez pas de décorations supplémentaires après les fêtes, même si cela vous semble « une bonne affaire ».

Le policier anti-fouillis

Le policier anti-fouillis est une personne qui a déclaré la guerre au désordre et qui pose beaucoup de questions aux membres de la famille qui font des achats :

— As-tu vraiment besoin de dépenser ton argent difficilement gagné pour augmenter ton fouillis ?

— As-tu vraiment besoin de cet article ? L'as-tu acheté seulement parce que tu en avais envie ?

— Où comptes-tu le mettre ?

— Vas-tu te débarrasser des choses dont tu n'as pas besoin ou dont tu ne veux plus pour faire de la place ?

— Ne devrais-tu pas plutôt payer tes dettes ?

— Est-ce que cet achat va bientôt cesser de te servir ou de te plaire ? Si oui, pourquoi gaspiller ton argent ?

Un jour, quelqu'un vous traitera peut-être de flic. «La plupart des familles se montrent récalcitrantes face à de nouveaux modes de vie ou de nouvelles attentes une fois que le fouillis a disparu, observa Jean. Au début, on m'appelait le flic, parce que je mettais en question les achats de chacun pour prévenir le fouillis. Il semblait même déraisonnable de demander à notre fils de six ans de ranger ses jouets après avoir joué. Mais, grâce à cette discipline que j'ai su imposer, notre maison est aujourd'hui ordonnée. Il fait bon y vivre, et nous ne perdons plus des heures à chercher nos affaires. »

L'histoire de Jean est éloquente: même si vos proches vous traitent de flic anti-fouillis, ne baissez jamais les bras et soyez assuré qu'un jour ils vous remercieront.

Crédit supplémentaire

Si vous êtes un obsédé du lèche-vitrine, recopiez les questions suivantes sur une feuille de papier dans laquelle vous emballerez vos cartes de crédit. Lisez ces questions avant chaque achat:

— Est-ce que j'ai assez de place?

— Est-ce que j'en aurai encore envie demain?

— Est-ce que j'en ai vraiment besoin?

— Est-ce que je m'en servirai?

— Est-ce que je l'achète parce que quelqu'un peut en avoir besoin? Mais, si quelqu'un en a besoin un jour, est-ce que je le retrouverai dans mon fouillis?

— Est-ce que je vais oublier rapidement que je possède cet objet?

— Est-ce que je veux vraiment dépenser mon argent pour aggraver mon désordre?

Avant d'acheter des choses pour les autres, posez-vous ces questions:

— Est-ce que mon achat va accroître le fouillis de cette personne?

— Comment puis-je être certain que la personne en question a vraiment besoin de ce truc et qu'elle va l'aimer?

— M'est-il déjà arrivé de demander aux gens ce qu'ils voulaient que je leur achète?

— Ai-je déjà discuté de désordre avec cette personne ? Est-ce que je sais si elle apprécie toutes les babioles que je lui offre ?

— Est-ce que j'impose mes goûts aux autres ?

— Les autres ne seraient-ils pas plus heureux si je renonçais à cette aubaine et si je leur offrais ce qui leur fait vraiment plaisir ?

Chaque fois que vous vous abstenez de faire un achat inutile, mettez de côté la somme économisée, ou contentez-vous d'en inscrire le montant quelque part et voyez les chiffres s'additionner.

Êtes-vous prêt à annoncer à vos proches que vous vous portez volontaire pour faire le flic anti-fouillis afin d'empêcher un nouveau désordre de s'installer chez vous ? S'ils acceptent, allez-y !

CHAPITRE 6

Gérer papiers et renseignements obtenus sur Internet

La façon dont vous rassemblez, gérez et utilisez l'information
peut faire de vous un gagnant ou un perdant.
BILL GATES

Il y a fort à parier que vous générez et recevez des centaines de kilos de papier par année sous forme de livres, revues, lettres, journaux, rapports, documents, etc. Cependant, sachez que votre succès ne dépend pas du fait d'avoir ou non des montagnes de renseignements, mais de la façon dont vous choisissez, gérez et utilisez la petite somme d'informations dont vous avez réellement besoin.

Pouvez-vous lire tous les livres, journaux, notes, revues, catalogues, lettres et courriels que vous recevez? Sans doute que non. Et pourtant, combien de fois vous êtes-vous senti coupable ou angoissé en pensant à tout ce que vous deviez «lire un jour»? Il est impossible de tout lire. Commencez donc par limiter les informations qui vous parviennent, sans oublier tout ce que vous essayez de lire et de traiter.

Accumulation ordinaire de paperasse

Vous arrive-t-il de chercher quelque chose en vain dans vos trop nombreux dossiers? Selon vous, quelle proportion de vos documents avez-vous lus ou consultés? Vingt pour cent? Dans ce cas, pourquoi gardez-vous tout?

Chaque fois que vous vous attaquez à de la paperasse, faites une petite section à la fois et arrêtez-vous souvent parce que, lorsque vous triez et rangez des choses, vous devez prendre rapidement de nombreuses décisions.

— Pourquoi ai-je ce document en ma possession?

— Est-ce un papier important ?

— Devrais-je le garder, le jeter ou le transmettre à quelqu'un ?

— Si je le garde, où vais-je le mettre ?

— Est-ce que je pense honnêtement avoir un jour besoin de ce document ?

Une bonne habitude à prendre

Chaque jour, jetez un coup d'œil sur cinq documents
en désordre pour décider de leur sort, puis passez
immédiatement à l'action.

Pour chaque document, demandez-vous où vous le
chercherez la prochaine fois que vous en aurez besoin.
C'est là où vous devez le mettre.

Visitez de temps à autre les magasins de fournitures de bureau.
Vous tomberez peut-être sur un article qui vous aidera
à bien ranger vos papiers.

Si vous avez conservé des coupures de journaux et de revues,
la meilleure chose à faire est parfois de tout jeter en bloc.

Une fois que vous avez fait le tri dans vos papiers, ne manipulez
chaque document qu'une seule fois. Affichez cette règle
à l'endroit où vos papiers ont tendance à s'accumuler.

Éliminez le courrier indésirable dès qu'il arrive.

Jetez systématiquement la publicité importune.

— Si j'en avais besoin, saurais-je où le trouver ?

— Pourrais-je obtenir les mêmes renseignements ailleurs (sur Internet, par téléphone, dans un annuaire, etc.) ?

— Dois-je créer de nouvelles fiches pour organiser mes papiers ? Si oui, dois-je le faire avant de faire du rangement ?

— Quelle est la pire chose qui pourrait arriver si je ne conservais pas ce renseignement ?

Bien des gens réussissent à répondre à ces questions en une heure. Au bout d'une heure, leur minuteur les avertit qu'il est temps de faire une pause. D'autres sont si excités par le rangement qu'ils ne veulent pas s'arrêter avant d'avoir liquidé complètement leur fouillis. Si tel est votre cas, surtout ne vous arrêtez pas !

Pour vaincre le désordre, triez vos papiers en quatre catégories seulement :

— classer ;

— à faire ;

— à ranger ;

— à jeter ou à recycler.

La pile « Classer »

Cette pile peut faire des kilomètres de long mais, au moins, quand vous avez fini, chaque papier a trouvé sa place — sauf bien entendu si vous n'avez pas prévu où ranger ces documents. Résolvez ce problème avant de continuer.

La solution à court terme consiste à regrouper les documents identiques (factures, contrats d'assurances, papiers de l'auto, documents bancaires, etc.) dans des contenants temporaires (paniers ou boîtes à chaussures) pour dégager les étagères ou les tiroirs. Les solutions à long terme sont les suivantes :

— Procurez-vous un classeur.

— Achetez un bureau et réservez un tiroir pour les factures, un pour les reçus, un pour les fournitures de bureau (enveloppes, crayons, timbres, etc.).

— Trouvez un assortiment de boîtes de la dimension de vos papiers. Par exemple, les reçus iront dans des boîtes plus petites que celles où vous rangerez vos factures. Glissez le tout dans un placard ou sous votre lit.

— Placez les papiers dans un cartable à anneaux, dans la bibliothèque.

Organisez un système de classement selon vos besoins. S'il existe de nombreuses méthodes, c'est parce qu'une seule ne convient pas à tous. Ne vous forcez pas à suivre un plan d'organisation que vous risquez de détester à la longue.

Un jour, Kurt a demandé à un ami de l'aider à élaborer son système de classement. Le jour où il a eu besoin de ses papiers d'assurance pour son auto, il a eu beau chercher dans ses dossiers, il n'a rien trouvé. Il a fini par appeler son ami pour apprendre que les papiers étaient classés sous *Automobile*, alors que Kurt avait cherché sous *Assurances*. Il s'agit donc de donner à vos dossiers le nom qui vous viendra à l'esprit lorsque vous chercherez tel papier. Si vous devez classer quelque chose qui n'appartient pas à une catégorie existante, créez-en une. Par contre, s'il s'agit d'un document dont vous n'aurez jamais besoin, que vous ne consulterez jamais, jetez-le.

Les documents du ministère du Revenu et tous ceux qui ont trait aux impôts sont particulièrement importants. Justin l'a appris à ses dépens. Chaque année, au moment de faire sa déclaration de revenus, il se livrait paniqué à une chasse aux papiers. L'angoisse et la frustration qu'il ressentait alors lui donnaient de terribles maux de tête et le laissaient épuisé. Cette année, il a décidé de créer un système de classement. Il s'est procuré un grand classeur en plastique muni de compartiments dans lesquels il prévoyait ranger soigneusement tous ses documents selon leur nature. Hélas, cela a été un échec, car Justin n'arrivait pas à classer ses papiers au fur et à mesure, de telle sorte qu'ils finissaient par s'éparpiller partout. Voyant cela, sa sœur lui a donné une boîte à café au couvercle en plastique. Devant Justin, elle a pratiqué une fente dans le couvercle et lui a demandé : « Pourras-tu glisser là-dedans tes reçus chaque fois que tu en recevras ? » Il lui a répondu que oui, et c'est ce qu'il a fait.

Vers la mi-janvier, Justin a appelé sa sœur pour lui dire qu'il avait reçu des documents bancaires qui ne rentraient pas dans la boîte à café. Sans se moquer de lui ni le réprimander, sa sœur lui a apporté une grande boîte qui avait contenu une paire de bottes. Elle a découpé devant lui une fente sur le couvercle et lui a demandé s'il pensait pouvoir y ranger ses documents au fur et à mesure qu'il les recevrait, et il a répondu oui. C'est ce qu'il a fait et aujourd'hui, Justin a dit adieu aux reçus éparpillés, aux attaques de panique et aux maux de tête que lui causait son désordre.

Justin s'est également aperçu d'une chose étonnante : il avait l'impression de toujours remettre au lendemain sa déclaration de revenus, mais en fait c'est la recherche des reçus et autres documents qu'il différait. Quoi qu'il en soit, depuis que ses papiers sont bien classés, Justin ne redoute plus la période des impôts.

Pour organiser et ranger les documents dont vous aurez besoin pour faire votre déclaration de revenus, vous pouvez utiliser n'importe quel système de classement. Ensuite, que vous remplissiez vous-même votre déclaration ou que vous fassiez appel à un comptable, vous aurez tous vos papiers au moment opportun.

Les systèmes de classement n'ont pas à être compliqués, formels ou coûteux pour être efficaces.

La pile «À faire»

Votre deuxième pile comprend des papiers que vous ne pouvez pas ranger avant d'en avoir fait quelque chose. Il peut s'agir d'un coup de téléphone à donner, d'une lettre à laquelle vous devez répondre, d'un formulaire à remplir, etc. Si cette pile est immense, triez les documents par catégorie (factures, correspondance, etc.) et rangez-les dans un contenant (chemise, boîte, panier). Cela vous permettra de retrouver facilement n'importe quel document.

La pile de choses à faire de Dan avait tout d'une montagne. Ce qui était prioritaire étant déjà fait, il ne lui restait que les choses à faire… à un moment donné.

Combien de temps vous coûte le désordre de votre bureau?

Êtes-vous toujours en train de farfouiller dans des documents éparpillés? Êtes-vous souvent en retard parce que vous n'arrivez pas à mettre la main sur un papier important? Cette situation crée-t-elle chez vous une tension telle que vous avez envie de vous taper la tête contre l'écran de votre ordinateur — et que la seule chose qui vous en empêche est cette pile de livres et de paperasserie juste en face de vous? Dans son livre intitulé *Taming the Paper Tiger at Work*,

Barbara Hemphill cite des recherches selon lesquelles un individu normal passe 150 heures par année à chercher des renseignements qui ne sont pas à leur place, ce qui équivaut presque à un mois de travail gaspillé! Si vous pouviez réduire de moitié votre fouillis, vous réduiriez d'autant ces 150 heures perdues, ce qui améliorerait votre rendement. Pouvez-vous imaginer l'impact que cela aurait dans une entreprise si, chaque année, chaque employé pouvait donner deux semaines supplémentaires de productivité rien qu'en réduisant le temps perdu à fouiller dans ses papiers?

Lorsque la pile de papiers était près de s'effondrer, Dan a adopté une autre stratégie : il a traité chaque jour cinq éléments pris au hasard dans la pile. De temps à autre il établissait un ordre de priorité : il plaçait les documents les plus importants au sommet de la pile et les autres, sous le tas. Lorsqu'il s'aperçut qu'il remettait sans cesse le même document sous la pile, il dut prendre une décision : accomplir la tâche sur-le-champ ou jeter le document.

En d'autres termes, après avoir classé le contenu de votre pile de choses à faire, continuez à trier factures, lettres, avis, journaux et autres documents dans des contenants individuels ou des chemises, dans l'ordre où ils se présentent. Ensuite, si par exemple, vous avez besoin d'une facture, il vous faudra en compulser plusieurs pour retrouver la bonne, mais ce sera certainement mieux que d'avoir à trier un à un chaque papier qui se trouve dans la pièce.

La pile « À ranger »

Votre troisième pile est celle des papiers que vous pouvez ranger sans trier. Chaque fois que vous vous attaquerez à un fouillis, vous vous retrouverez à la fin avec une pile de choses qui ne seront pas à leur place : recettes de cuisine, relevés divers, correspondances d'affaire, documents importants qui doivent être déposés dans un coffret de sûreté, etc.

Quels sont les documents que vous devez déposer dans un coffret de sûreté ?

La plupart des gens conservent leurs documents importants dans un coffret de sûreté, à la banque. D'autres préfèrent les garder chez eux, dans un coffret ignifugé. Quoi qu'il en soit, ce coffret pourra contenir :

— vos certificats importants (naissance, mariage, divorce) ;

— vos papiers militaires ;

— votre testament et régime de pension ;

— vos documents d'assurance et des photos de votre maison et de vos biens en cas de vol ou d'incendie ;

— vos brevets et diplômes ;

— les titres de propriété du véhicule, de la maison et d'autres biens (véhicule de plaisance, biens immobiliers, etc.) ;

— votre passeport ;

— vos documents financiers importants (certificats d'actions, obligations et certificats de dépôt).

Si vous ne faites pas immédiatement l'effort d'aller ranger soigneusement cette paperasserie, votre fouillis ne tardera pas à envahir de nouveau les lieux et vous vous retrouverez à la case départ. Le secret : bougez ! Levez-vous pour aller mettre vos papiers au bon endroit.

La pile « À jeter ou à recycler »

Chaque fois que vous mettez de l'ordre dans de la paperasserie, assurez-vous d'avoir un grand sac-poubelle, une grosse corbeille ou un bac à recyclage.

Comment organiser vos messages téléphoniques

Dans un carnet à spirale, inscrivez chaque message téléphonique et la date à laquelle vous l'avez reçu. Indiquez si vous avez rappelé ou non la personne. Ce système permet d'éliminer des dizaines de numéros de téléphone éparpillés sur votre bureau, et puis, si vous égarez un numéro ou si vous vous demandez si vous avez rappelé la personne, vous n'aurez qu'à consulter votre carnet.

Trucs pour bien gérer votre courrier :

— Ouvrez toujours votre courrier près d'une corbeille à papier afin de jeter ou de recycler tout ce qui n'est pas important.

— Désignez un endroit (panier, boîte, comptoir) où vous rangerez soigneusement le courrier important. Ainsi, il ne se mêlera pas à la paperasse inutile et ne s'éparpillera pas dans la maison.

— Procurez-vous une chemise dans laquelle vous glisserez les factures, les invitations, etc.

> — Triez votre courrier chaque jour et jetez sans hésiter tout ce qui n'est pas important.

N'utilisez pas de corbeille minuscule. Si vous avez un énorme fouillis, comme la plupart des gens, placez de grosses corbeilles partout où la paperasse s'accumule. Souvenez-vous que votre corbeille à papier n'est pas un monstre diabolique qui va avaler vos données importantes, mais une amie très chère qui a besoin d'être nourrie.

Une fois que vous aurez fait le tri et que vous aurez tout divisé en quatre piles, jetez les documents inutiles ou recyclez-les. Occupez-vous ensuite de la pile «À ranger». Il ne vous restera bientôt plus que deux piles: «Classer» et «À faire». Avouez que cette méthode vous facilite la vie.

Payer pour la paperasse?

Une de mes questions préférées est celle-ci: «Accepteriez-vous de payer pour augmenter votre paperasse?» Vous répondrez probablement que vous détestez ce fouillis et que jamais vous ne paierez pour l'augmenter! Et pourtant, c'est bien ce que vous faites chaque fois que vous vous abonnez à une revue «sensationnelle».

Comment décririez-vous les revues que vous recevez à la maison? Avez-vous hâte de les lire ou savez-vous à l'avance qu'elles iront immédiatement s'ajouter à la pile qui s'accumule depuis six mois dans un coin?

Regardez les choses en face: si vous avez plus de trois mois de lecture en retard, demandez-vous si cela vaut la peine de dépenser de l'argent pour des revues que vous ne lisez pas. N'est-ce pas la même chose au fond que de jeter l'argent par les fenêtres?

Petit questionnaire

Voici les questions que vous devriez vous poser au sujet de vos abonnements à des revues :

Pourquoi est-ce que je veux cette revue ? ❏

Est-ce que je la veux seulement pour certaines informations spécifiques qui ont trait à ma carrière ou à mon passe-temps ? ❏

Est-ce qu'elle m'intéresse à cause de certains articles — mais pas tous ? ❏

Est-ce que seules les informations sur la santé m'intéressent ? ❏

Est-ce que seules les recettes m'intéressent ? ❏

Est-ce que seuls les conseils financiers m'intéressent ? ❏

Est-ce que je compte lire chaque numéro de la première à la dernière page ? ❏

(Beaucoup de gens n'ont aucune envie de lire leur magazine au complet, mais ils refusent pourtant de s'en séparer tant qu'ils ne l'ont pas lu jusqu'au dernier mot. N'est-ce pas étrange ?)

Si vous ne vous posez aucune de ces questions, des montagnes de revues jamais lues risquent de causer un sérieux désordre chez vous.

Solution : posez-vous toutes ces questions pour chacune de vos revues. Soyez courageux et annulez quelques abonnements si besoin est.

Si, chaque mois, vous arrivez à lire chaque article de toutes les revues auxquelles vous êtes abonné, il n'y a pas de problème. Sinon, réévaluez votre situation. Apprenez à ne lire que certains articles ; à ne pas lire tous les mots d'un article ou achetez un numéro de temps en temps, lorsque vous avez le temps d'en profiter vraiment, plutôt que de laisser les numéros s'accumuler.

Vous abonnez-vous à une revue parce qu'elle contient des renseignements importants qui sont nécessaires à votre carrière ou à votre passe-temps ? Si oui, rangez tous les numéros au même endroit, que vous ayez ou non le temps de les lire au complet.

Ainsi, vous les aurez à portée de la main comme outils de référence. Si vous découvrez que tous les articles sont archivés sur un site Web, ou qu'ils sont disponibles sur cédérom, vous pourrez même vous passer des numéros déjà parus.

Trois règles simples pour jeter revues, journaux ou catalogues

Les revues, journaux et catalogues vont tous au même endroit.
Si vous trouvez un numéro ailleurs, jetez-le.
Commencez à les jeter quand la pile atteint 50 centimètres,
ce qui équivaut à environ une semaine de lecture.
Jetez toutes les revues (journaux ou catalogues) qui datent
de plus de six mois.

David mène une vie mouvementée et n'avait jamais le temps de lire les revues auxquelles il est abonné. Mais, tout récemment, il a pris l'habitude de transporter dans sa serviette, avec ses documents importants, trois ou quatre numéros de ses revues préférées.

C'est incontestable

De nombreuses personnes s'abonnent à une revue parce qu'on leur offre un cadeau en prime ou parce que les deux ou trois premiers numéros sont gratuits. Or, ce n'est pas toujours une bonne affaire car, souvent, les revues finissent par encombrer la maison ou par vous culpabiliser si vous ne les lisez pas. Dans ce cas, songez à les offrir à quelqu'un ou à une institution, une école par exemple.

Attention ! Les revues censées être « gratuites » s'accompagnent généralement de « frais cachés » qui peuvent atteindre des dizaines de dollars. Attention ! Lorsque vous vous abonnez à une revue et que vous transmettez votre numéro de carte de crédit, l'éditeur peut renouveler votre abonnement chaque année tant que vous ne lui aurez pas signalé votre intention de résilier votre engagement.

Il profite ainsi de son temps libre — dans la voiture, à la gare, avant une réunion, au restaurant quand il attend un ami ou un collègue — pour saisir une revue et en lire quelques pages.

Maureen, quant à elle, lit ses revues dans le bus, dans le métro, dans la salle d'attente du médecin, puis elle arrache l'étiquette où figurent ses coordonnées et abandonne ses revues un peu partout pour que les autres en profitent.

Catalogues

Les premiers que vous avez feuilletés vous ont fasciné avec tous leurs gadgets. Par la suite, votre nom a magiquement été vendu à de nombreuses entreprises et depuis lors c'est un déluge de catalogues que vous recevez à domicile.

Solution : laissez un mois s'écouler, puis asseyez-vous avec la pile de catalogues reçus entre-temps. Vous lirez attentivement les premiers, puis vous feuilletterez rapidement les suivants, et vous jetterez les autres sans même les ouvrir.

Par ailleurs, si vous voulez savoir si on a vendu vos coordonnées, utilisez un nom fictif. C'est ce qu'a fait Connie Johnston : « Lorsque j'ai commandé mon catalogue de jardinage, je me suis abonnée sous le nom de Lily Johnston, et aujourd'hui je reçois les catalogues de dix-sept entreprises qui ont acheté la liste sur laquelle apparaît ce nom. De plus, je reçois des catalogues adressés à Gadget Johnston, Kitty Cat Johnston, Machin Johnston... C'est drôle et ainsi je me débarrasse immédiatement du catalogue sans même l'ouvrir. »

Les livres préférés

Que faire de nos livres préférés ? Personnellement, je n'ai jamais réussi à donner un seul de mes livres favoris, mais nous devrions tout de même nous débarrasser des vieux manuels scolaires et des livres dont nous ne sommes pas fous. Si vous n'arrivez pas à les jeter, offrez-les aux « amis de la bibliothèque » qui sauront quoi en faire lors de leur vente annuelle.

Une mise en garde, toutefois, si vous êtes tenté de vous abonner à un club du livre du mois : régulièrement, le club vous enverra la description des nouveautés et, à moins que vous ne suiviez les instructions à la lettre en renvoyant une carte-réponse, vous continuerez à recevoir livre après livre. Il s'agit souvent de livres qui ne vous plaisent pas, que vous ne lirez jamais et qui aggraveront votre fouillis.

Les notes de cours

Certaines personnes adorent apprendre et leur passe-temps préféré est de suivre des cours sur toutes sortes de sujets passionnants. Si vous êtes un grand preneur de notes, vous avez peut-être déjà accumulé des piles de cahiers. Pourquoi garder tout cela ? Pensez-vous qu'un jour quelqu'un vous demandera les notes que vous avez prises en 1979 sur la littérature allemande ? Pensez-vous que vous allez un jour vous asseoir pour les relire ? Et puis, si vous en aviez besoin un jour, pourriez-vous y retrouver ce que vous chercherez ?

Au cours de mes séminaires, j'encourage les participants à prendre des notes s'ils le désirent, car cela améliore l'apprentissage, mais il ne faut pas conserver ces notes éternellement. En rentrant chez vous, transcrivez-les à l'ordinateur, puis débarrassez-vous de toutes ces feuilles.

En relisant vos notes et en copiant ce qui revêt pour vous un sens particulier, vous retiendrez en fait plus d'informations que si vous gardiez ces notes empilées dans un coin pour le restant de vos jours.

Les cartes de vœux

Cheryl n'a pas beaucoup d'espace dans son placard même si elle vit seule. C'est en partie parce qu'elle conserve toutes les cartes de vœux qu'elle a reçues dans sa vie. Comme beaucoup de gens, Cheryl a du mal à comprendre que le fait d'avoir toutes ces cartes ne signifie pas qu'elle est aimée.

Que devriez-vous faire si vous croulez sous les cartes ? Choisissez-en quelques-unes, les plus significatives, et jetez les autres, ou découpez-les pour en faire des étiquettes de cadeaux, ou faites-en don à un groupe qui pourra s'en servir pour des projets d'artisanat. Si vous n'y arrivez pas, scannez-les pour sauvegarder les images sur un disque ou dans un dossier de votre ordinateur.

Si cela vous brise le cœur de vous séparer de vos cartes, parlez-en à vos amis et à vos proches et suggérez-leur d'autres moyens de communication, par exemple les cartes électroniques, ou le bon vieux téléphone, ou donnez-vous rendez-vous quelque part !

Patty n'arrivait pas à se débarrasser de ses cartes de vœux, surtout parce qu'elle savait que les gens avaient dépensé beaucoup d'argent pour les acheter. Un jour, elle et son mari, Tom, décidèrent que, au lieu d'échanger des cartes, ils s'écriraient de courtes lettres pour chaque occasion spéciale, y compris leur anniversaire. Ils garderaient ainsi de ces événements des souvenirs beaucoup plus personnels et éloquents. Malheureusement, Tom est décédé depuis peu et toutes ses lettres d'amour sont devenues plus précieuses que des bijoux aux yeux de Patty.

Les cartes de visite

Pensez-vous vraiment que vous allez contacter tous ces gens? Soyez clair quant aux raisons qui vous poussent à conserver ces cartes. Vous pouvez inscrire les renseignements dans votre banque de données et jeter les cartes. Si vous n'arrivez pas à vous en débarrasser, ne les laissez pas s'entasser dans un tiroir, réunies par un gros élastique. Achetez-vous un classeur adéquat et organisez un système de rangement. Ne les classez pas uniquement selon les noms de famille, mais aussi selon les secteurs d'activité de toutes ces personnes. Si vous ne vous souvenez pas du nom de l'homme à tout faire, classez sa carte sous « Homme à tout faire ».

Dossiers scolaires de votre enfant

— Placez un tableau d'affichage dans la cuisine pour y punaiser les papiers importants (avis, autorisations, bulletins, etc.) et un calendrier scolaire.

— Désignez pour chacun de vos enfants une chemise dans un classeur à tiroirs où vous rangerez leurs papiers qui seront ainsi faciles à trouver si nécessaire.

— Les bricolages et certains papiers peuvent aller dans la boîte à souvenirs. (Voir chapitre 2.)

— Offrez certains des chefs-d'œuvre de vos enfants à vos proches.

— Prenez des photos de l'enfant avec son bricolage ou son projet scientifique et rangez-les dans l'album familial.

— Au lieu de conserver des rédactions, scannez-les et sauvegardez-les sur un disque ou dans un dossier informatique.

— Encadrez les dessins, mais faites une rotation : jetez les vieux.

— Mettez dans une boîte, dans l'auto, les bulletins, lettres d'information de l'école, notes de service, magazines, etc., et rattrapez la lecture en retard lorsque vous êtes dans un embouteillage, dans une file d'attente, ou en allant chercher les enfants à l'école. Vous pouvez prendre avec vous une partie du contenu de la boîte et lire dans la salle d'attente du médecin ou du dentiste.

Le fouillis informatique

Certains prétendent que l'ordinateur est le meilleur moyen d'économiser du papier. Il est vrai qu'on peut sauvegarder sur disque ou disquette énormément d'informations, mais les causes du fouillis peuvent aussi s'appliquer à l'informatique. Par exemple, le fait de toujours remettre à plus tard la réponse à un courriel équivaut à laisser traîner un papier sur votre bureau.

Chaque semaine, évaluez les risques de fouillis selon les points suivants :

— les témoins de connexion (code qu'un serveur HTTP enregistre, souvent temporairement, sur votre disque dur pour vous identifier sur son service) ;
— les répertoires ou fichiers temporaires ;
— le contenu de la poubelle, ou corbeille ;
— les pourriels ;
— les vieux courriels devenus inutiles ;
— les anciennes versions de logiciels ;
— les dessins animés et les photos humoristiques envoyés par vos amis, et tout ce que vous avez téléchargé et qui est aujourd'hui désuet.

Donnez à vos fichiers informatiques des noms évocateurs qui vous permettront de les récupérer facilement.

Autre conseil : si vous devez simplement survoler un fichier, essayez de le faire à l'écran, sans rien imprimer. Sinon, gare à la paperasserie !

Courriels

«Je vais commencer par lire tous mes nouveaux courriels et je répondrai après.» Cette attitude vous mène directement à du fouillis informatique sauvage. Le secret est de traiter immédiatement les courriels, chez vous et au travail, comme si c'était du courrier ordinaire.

— Jetez les pourriels sans les lire ni même les ouvrir.

— Si possible, répondez sur-le-champ à chaque message.

— Sinon, rangez les courriels dans un fichier «Urgent» et répondez-leur dès que possible.

— Après avoir répondu à un courriel, jetez-le ou déplacez-le dans un dossier particulier.

— Créez différents dossiers pour les courriels (amis, travail, loisirs, etc.).

— Ne vous faites pas piéger par les blagues, poèmes et histoires à réacheminer. Vous n'avez pas de temps à perdre avec ces balivernes.

— Chaque fois que vous commencez à écrire un courriel, demandez-vous si vous avez le temps de le faire. N'auriez-vous pas des choses plus urgentes à faire ?

Pourriels

Les pourriels sont des courriels non sollicités envoyés à un très grand nombre de personnes sans leur accord. Installez un filtre ou demandez à un ami qui s'y connaît de vous aider.

Il fut un temps où je passais trois quarts d'heure par jour à jeter les pourriels. Je ne connaissais pas d'autre moyen de m'en débarrasser. Cela me frustrait de perdre ainsi mon temps. Depuis lors, j'ai appris à en faire une expérience relaxante : tout en jetant les pourriels, je respire profondément en me disant : «Ce courriel est pour l'évier bouché. À la poubelle ! Celui-ci est pour les discussions avec la compagnie de téléphone cellulaire. À la poubelle ! Cet autre est pour les dégâts causés par les ratons laveurs. À la poubelle ! » Si bien qu'à la fin de mes séances je me sens tout à fait détendue et en pleine forme. À présent que j'ai un filtre, je me sens encore plus détendue, et encore plus en forme.

Il est impossible de tout lire

Tant que vous n'accepterez pas le fait que vous ne pouvez pas lire l'ensemble de vos lettres, courriels, avis, bulletins, journaux, revues, catalogues, etc., vous risquez de crouler sous le désordre. Le truc est d'apprendre à faire le tri et de jeter ce dont vous n'avez pas besoin, de façon à passer le plus de temps possible à faire ce qui vous tient à cœur.

Je ne suis pas en train de dire que vous devez jeter des documents importants ou qui ont une valeur sentimentale. Je parle plutôt des écrits qui encombrent votre vie, que vous ne lirez jamais et dont vous n'aurez pas besoin.

Cela dit, il ne faut pas oublier que nous sommes des êtres humains et que, parfois, malgré notre bonne volonté, les papiers et le fouillis informatique vont s'accumuler. Nous sommes au vingt et unième siècle et, manifestement, notre combat contre le désordre n'aura jamais de fin.

Crédit supplémentaire

Un petit rappel : faites une pause à la fin de chaque heure que vous passerez à faire le ménage. En fait, la récompense favorite de la plupart des adultes est de *prendre du temps pour eux, sans culpabiliser.* Une des grandes récompenses que vous pouvez vous faire est :

_____

_____

_____

Affichez un avis qui porte l'inscription : *Manipuler chaque feuille une seule fois.*

Prenez des décisions concernant les feuilles et bouts de papier au fur et à mesure qu'ils se présentent. L'objectif est de jeter autant de choses que possible.

Préparez des chemises de classement, des boîtes, des enveloppes, des tiroirs pour vos papiers avant de vous attaquer au désordre.

Remplissez souvent votre corbeille à papier.

CHAPITRE 7

Comme il fait bon vivre dans une maison bien rangée !

Il existe un gain immédiat, tant émotif que psychologique,
au fait de ranger nos maisons.
SARAH BAN BREATHNACH

Mettre de l'ordre dans la maison peut sembler ardu, mais en fait il s'agit de prendre quelques habitudes simples. Vous serez surpris de la facilité avec laquelle le fouillis s'évaporera si vous n'adoptez ne serait-ce qu'une seule de ces habitudes :

— Ne quittez jamais une pièce les mains vides. Jetez un coup d'œil et ramassez le désordre que vous voyez.

— Même consigne lorsque vous montez ou descendez l'escalier : ramassez et rangez ce qui doit l'être.

— Soyez un « policier anti-fouillis » et insistez pour que chaque membre de la famille ramasse ses affaires. Épinglez des affichettes, si nécessaire. Tina, une adolescente, remercie aujourd'hui son père de lui avoir inculqué cette habitude. Chaque fois qu'elle quittait une pièce, il lançait : « Mains vides ! Mains vides ! » À présent, Tina ne quitte jamais une pièce sans ramasser ce qui traîne.

— Mettez au même endroit les choses que vous achetez à l'avance, par exemple des cadeaux. Ainsi, lorsque vous en aurez besoin, vous saurez où les trouver. Quand tout est regroupé en un lieu, on sait ce qu'on a et on ne risque pas de racheter des articles en double.

— Si vous possédez plusieurs objets qui ont la même fonction, gardez le plus neuf ou celui qui est en meilleur état et débarrassez-vous des autres.

— Profitez du temps libre (publicités, en attendant au bout du fil, dans la salle d'attente du médecin) pour trier revues et catalogues, ranger votre porte-monnaie ou votre sac à main, remettre à leur place des documents, etc.

— Chaque jour, jetez ou mettez de côté cinq articles qui ne sont pas à leur place.

— Si vous n'arrivez pas à vous attaquer sérieusement à un endroit très encombré, arrêtez-vous chaque fois que vous passez devant et rangez quelques objets.

— Commencez par une petite surface, une étagère, un tiroir, une pile de papiers.

— Quel que soit votre point de départ, progressez dans une direction seulement, vers la droite ou la gauche. Ainsi, lorsque vous reviendrez le lendemain, une semaine ou un mois plus tard, vous saurez exactement où reprendre le travail.

— Lorsque vous rangez une pièce, triez les affaires par catégorie, une à la fois. Commencez par exemple par les assiettes, les tasses ou les verres, puis attaquez-vous aux jouets, et enfin ramassez les papiers.

— Faites semblant que vous déménagez. Si c'était le cas, voudriez-vous garder cet article, l'emballer, le transporter, le déballer et lui trouver une nouvelle place ?

— Choisissez un endroit pour chaque activité et gardez tout ce qui est nécessaire à cette activité au même endroit.

— Rassemblez les objets qui se ressemblent et rangez-les près du lieu où ils sont le plus souvent utilisés.

— Invitez des amis de temps en temps. C'est un incitatif merveilleux pour ranger et nettoyer la maison.

La cuisine

Voici quelques idées qui vous aideront à désencombrer la cuisine :

— Débarrassez-vous des boîtes qui sont sur le comptoir, à moins que vous les aimiez et que vous vous en serviez. L'ennui, avec la plupart de ces boîtes, c'est que le sucre y durcit, que des insectes finissent souvent par se loger dans la farine, et puis, comme vous préférez le thé ou le café, l'une des deux boîtes reste vide. Rangez le sucre et la farine dans des contenants hermétiques et débarrassez le comptoir des boîtes inutiles.

— Si vous possédez un moulin à viande, un moule à gaufre ou tout autre appareil encombrant dont vous vous servez rarement, rangez-le dans une armoire.

— Ne stockez pas toutes sortes de verres, de tasses et d'assiettes. Certes, on a toujours besoin de vaisselle supplémentaire lorsqu'on a des invités, mais n'exagérez pas. Avez-vous vraiment besoin de tous ces objets qui encombrent vos placards ?

— Ne gardez que les livres de cuisine dont vous vous servez et débarrassez-vous de ceux dont, manifestement, vous ne vous servirez jamais. Jetez-les, vendez-les ou donnez-les.

— Pour ranger le réfrigérateur, commencez par les étagères de la porte. Attaquez-vous ensuite à l'intérieur de l'appareil. Attendez-vous à ce que ce soit un travail assez répugnant. Offrez-vous une bonne récompense quand ce sera fait.

— Rassemblez les denrées par familles. Par exemple, les produits laitiers sur telle étagère, les viandes dans un tiroir, les fruits et les légumes dans un compartiment particulier, etc. Vous n'êtes pas obligé de mettre du beurre dans le compartiment à beurre, rangez-y quelque chose d'autre, n'importe quoi.

— Il existe une loi amusante suivant laquelle les choses dont on se sert le moins sont en général placées exactement devant celles dont on se sert le plus. Passez en revue tous ces articles et demandez-vous : « Combien de fois est-ce que je m'en sers ? » Si la réponse est : « Pas souvent », repoussez l'article derrière les autres.

— Rangez tout objet près de l'endroit où il est facile à utiliser.

— Décidez toujours de l'endroit où vous allez ranger les nouveaux articles.

L'entrée (ou tout endroit où atterrissent souliers, manteaux et sacs)

Lorsqu'on entre chez vous, est-ce qu'on trébuche sur des sacs à dos, des souliers et une montagne de courrier ? Oui ? Ces quelques trucs vous aideront à faire place nette :

— Prévoyez des boîtes pour le rangement des bottes, des écharpes, des gants; et des crochets (un par personne) pour suspendre les manteaux et les sacs.

— Mettez les fournitures de vos animaux de compagnie dans une autre boîte.

— Placez dans l'entrée une vieille bibliothèque et étiquetez chaque étagère au nom des membres de la famille.

Les chambres

— Placez des corbeilles à linge et à papier aux endroits stratégiques. Pourquoi mettre une corbeille à linge dans la salle de bains si chacun se déshabille dans sa chambre?

— Laissez le dessus des commodes et des autres meubles aussi dégagé que possible. Si votre commode croule sous les bibelots, emballez-les l'été pour vous épargner des heures d'époussetage par temps chaud. Si ces objets vous manquent, ressortez-les, mais en général, on ne s'en ennuie pas.

Salon, salle à manger et salle de jeu

Ce sont en général les pièces de la maison où l'on aime se rassembler pour discuter, s'asseoir pour se détendre, recevoir des amis. Voilà pourquoi ces pièces ont tendance à devenir rapidement encombrées. Il n'y aura pas de problème s'il y a une place pour chaque chose et si vous enseignez aux membres de la famille qu'ils doivent remettre les choses à leur place ou en payer les conséquences (vous vous réservez le droit de vendre, donner, jeter ou cacher les objets qui traînent).

La salle de bains

Êtes-vous fermement décidé à nettoyer et à ranger une fois pour toutes l'armoire à pharmacie et le meuble de toilette de la salle de bains? Si oui, voici le plan à suivre:

— Sortez tout ce qui s'y trouve. Préparez un sac-poubelle et une boîte à donner. Triez tous les cadeaux pour le bain dont vous ne vous êtes jamais servi et ces petites bouteilles de shampoing et autres bizarreries que vous avez accumulées.

— Faites trois piles : une pour les choses à remettre dans la pharmacie ou dans le meuble de toilette, une pour les objets qui ne sont pas à leur place et une pour les articles trop vieux ou inutilisés que vous allez jeter.

— Vérifiez la date de péremption des médicaments. Jetez ceux qui ne sont plus consommables : ils sont devenus inefficaces et peuvent même être toxiques.

— Jetez les produits de beauté, les crèmes pour le visage et les lotions que vous avez depuis plus de six mois. Ne gardez pas pour rien le vernis à ongles durci.

— Jetez ce que vous avez en double.

— Pourquoi avez-vous plusieurs sèche-cheveux et fers à friser ? Ne gardez que les appareils dont vous vous servez et donnez les autres.

— En replaçant vos affaires dans le meuble de toilette, disposez-les logiquement. Si vous partagez le meuble avec votre conjoint, prenez un côté et laissez-lui l'autre. Rassemblez les objets qui se ressemblent (dentifrice, fil dentaire et brosses à dents sur une tablette ; le nécessaire à manucure sur une autre, etc.).

— N'empilez rien, sous peine de voir vos choses s'effondrer dès que vous voudrez vous en servir. Le même conseil vaut pour les lingeries et les garde-robes.

Comment aider les enfants à devenir des champions du rangement

Vos enfants ont besoin d'ordre dans leur vie : ils s'épanouiront mieux dans un milieu ordonné. Mais leur demander de nettoyer une pièce encombrée ou de ranger un placard bourré à craquer est totalement inutile.

Les enfants se sentent aussi submergés que les adultes par le fouillis et le désordre et ils ignorent par quel bout commencer. Leur idée du rangement se résume à remplir, bourrer, cacher et dissimuler les choses dans l'espoir que vous ne vous en apercevrez pas. Mais vous finissez toujours par découvrir le pot aux roses et l'exercice se termine par des réprimandes.

Aider les enfants à ranger leur chambre est un des cadeaux les plus précieux que vous puissiez leur offrir. Vous les aiderez à gérer leur espace vital et à rompre le cercle vicieux de frustration et de négligence que le désordre engendre.

Commencez par vous débarrasser de votre fouillis d'abord, tout en partageant vos difficultés avec vos enfants. Dites-leur que vous avez réussi à éliminer certaines choses que vous pensiez indispensables à votre vie. Expliquez-leur ce que vous ressentez en voyant ces surfaces nettes remplacer le désordre. Partagez votre excitation, votre joie, le sentiment de soulagement et de liberté que vous éprouvez. L'espoir ici est de susciter en eux le désir de vous aider à ranger leurs placards et leurs chambres lorsqu'ils verront la métamorphose qui s'est opérée dans le reste de la maison.

Sandra voulait réduire le fouillis qui régnait chez elle. « Je savais que, si les enfants n'étaient pas de mon côté, je pouvais dire adieu à mon projet. » Elle décida donc de commencer à nettoyer une pièce du sous-sol en demandant à chacun de ses quatre enfants, un à la fois, de lui donner un coup de main. Comme elle s'y attendait, Louise, l'adolescente, joua sur les mots et… l'applaudit, pendant que les autres riaient et blaguaient. Finalement, après avoir beaucoup plaisanté, imploré et supplié, Sandra persuada Shayna, sa fille de huit ans, d'avoir pitié d'elle, et ensemble elles entreprirent de trier les choses et d'en jeter. Trois séances de rangement suffirent.

Sandra était ravie et, pour fêter ça, elle invita sa fille à aller faire des emplettes. Lorsque Shayna montra à ses frères et à sa sœur son nouveau maillot de bain, ils se découvrirent un intérêt subit pour le rangement.

Louise, l'aînée, fut recrutée pour mettre de l'ordre dans le placard, parce que c'est elle qui s'y connaît le mieux en vêtements et qui sait lesquels vont le mieux à sa mère. Sandra fut très claire : ce n'était ni un travail ni une punition. Parfois, pour l'aider, les enfants n'avaient qu'à l'encourager, car elle avait du mal à se débarrasser de certaines choses qu'elle aimait, mais dont elle ne se servait jamais.

Après avoir terminé son propre rangement, Sandra comptait demander aux enfants s'ils avaient besoin de son aide, mais elle voulait attendre au moins deux semaines. Elle craignait, en s'y prenant trop tôt, de passer pour une manipulatrice. Elle fut surprise de voir que quelques jours plus tard Louise lui demanda de l'aider à ranger son placard. La séance se fit sur fond de musique, ce qui permit à la mère de connaître les goûts de sa fille. Il y eut aussi des conversations, des commentaires sur les décisions à prendre, et Sandra et Louise passèrent un bon moment ensemble. Le rangement terminé, Sandra et sa fille allèrent faire des emplettes pour fêter l'événement. Le lendemain, lorsque Sandra demanda : « À qui le tour ? », les quatre enfants s'unirent pour ranger les chambres et les placards, à la suite de quoi la famille organisa une vente-débarras qui se termina par une fête avec pizza et films.

Lorsque vos enfants vous aident à faire le ménage, n'hésitez pas à extérioriser vos émotions. Faites semblant de pleurer lorsque vous jetez vos vieilles chaussures de gymnastique ou vos chaussons. Envoyez des baisers aux choses, comme si vous disiez adieu à de vieilles connaissances. Soyez théâtral. Cela aidera vos enfants à comprendre que, même si c'est difficile de se débarrasser de ses vieilles affaires, il faut le faire. Votre rôle pourrait les inciter à liquider leur propre fouillis.

Trucs et astuces

— Les enfants qui rangent leur chambre doivent prendre des décisions. Plus vous les aiderez à simplifier les tâches de nettoyage, moins ils auront de mal à prendre ces décisions.

— Assurez-vous que les jouets, livres, puzzles et jeux sont rangés là où l'enfant peut les atteindre facilement. Sinon, les choses se retrouveront à des endroits indésirables.

— Ceux qui cohabitent dans une même chambre gèrent mieux leur espace si les limites sont clairement établies : le tiroir de Marc est ici, celui de Bruno est là ; cette étagère est à Véronique, celle-ci est à Nathalie. Il est parfois nécessaire d'étiqueter les espaces respectifs.

— Aidez les enfants à organiser leurs tiroirs et leur placard de façon à ce qu'ils puissent y ranger facilement leurs vêtements.

— Dégagez le dessus des meubles.

— Fournissez à l'enfant des contenants de diverses grosseurs dans lesquels il pourra mettre ses jouets et autres choses.

— Demandez aux enfants de nommer les contenants. Ils s'en serviront plus volontiers. Ils peuvent laisser aller leur imagination et se servir d'images. Vous pouvez aussi prendre des photos de l'enfant montrant ce qui va dans chacun des contenants. Encouragez-le à s'amuser en forçant son rôle ou en faisant semblant qu'il anime une émission de télé.

— Placez des corbeilles à linge (paniers ou boîtes) dans la chambre de chaque enfant. Les vêtements qui ne seront pas déposés dans la corbeille ne seront pas lavés.

— Aidez les enfants à garder leurs vêtements en ordre. Dans les tiroirs, placez des boîtes à chaussures sans couvercle pour que les vêtements ne se transforment pas en fouillis. Les chaussettes peuvent aller dans une boîte et les sous-vêtements dans une autre. N'importe quel contenant peut faire l'affaire mais, si vous êtes un boulimique du fouillis et que vous avez conservé jusqu'à la dernière boîte à chaussures, c'est le moment de l'utiliser.

— Placez un gros contenant (boîte ou panier) sur le plancher du placard pour les chaussures, sandales, chaussons et un autre pour les articles de sport, les fournitures artistiques, les poupées et autres jouets.

Réduisez le nombre de choses que votre enfant risque d'accumuler en employant certaines des techniques suivantes. Laissez votre enfant voir comment vous vous débarrassez de vos propres affaires. Puis, lorsque vous l'aidez à ranger, laissez-le décider de ce qu'il gardera et de ce qu'il jettera.

— Lorsque votre enfant reçoit de nouveaux jouets, aidez-le à choisir lesquels, parmi les vieux jouets, seront donnés à un organisme de bienfaisance. Les enfants aiment sentir qu'ils aident les autres.

— Vérifiez les livres qui se trouvent à la bibliothèque, n'achetez des livres que lorsque vos enfants les aiment vraiment et sont prêts à les lire et à les relire.

— Ne devenez pas membre d'un club du livre ou du jouet si vous ne pouvez pas refuser leurs sélections. Sinon, vous risquez de vous retrouver avec des livres et des jouets dont vos enfants ne veulent pas et dont ils ne se serviront pas.

— Mettez de côté les jouets, puzzles et livres que vous ne sortez que pour les occasions spéciales, par exemple :

• lorsque la gardienne vient ;

- pour les longs voyages en auto ;
- les jours pluvieux ;
- quand l'enfant est malade ou pour une journée de congé ;
- lorsque l'enfant a besoin qu'on lui remonte le moral.
- Apprenez à vos enfants à se demander pour quelle raison ils gardent des jouets brisés, des animaux en peluche abîmés, des livres aux pages déchirées, etc. Insistez s'ils s'en désintéressent.
- Encouragez les enfants à mettre des choses dans le récipient prévu pour les dons que vous avez mis à leur disposition.

L'entreposage créatif

Un participant à un atelier donnait le conseil suivant : « Dans toutes les chambres, placez un drap et une couverture supplémentaires entre le matelas et le sommier des lits. Si vous avez de la literie de reste, elle est de trop : vous n'avez pas besoin de dix paires de draps, trois paires suffisent (dont une en cas d'urgence). Si vous avez plusieurs enfants, vous n'avez pas besoin d'une paire d'urgence pour chacun. De plus, il est certain que si vous pliez vos draps en petits paquets de dix-huit centimètres d'épaisseur, le résultat sera plutôt massif. Alors, pourquoi ne pas les plier en quatre ou en cinq si les draps sont immenses ? Il ne vous reste plus qu'à soulever le matelas pour y glisser les draps ainsi pliés. Chez moi, cette technique a fait de la place dans la lingerie, et j'en avais vraiment besoin pour y ranger d'autres choses. »

Voici d'autres endroits et trucs de rangement :

— utilisez l'espace sous un lit ;

— mettez des objets dans une malle qui peut servir de table à café ;

— installez des étagères au-dessus d'un bureau pour y ranger des livres ;

— utilisez des contenants et des boîtes en plastique pour vos fichiers, papiers, fournitures artistiques, etc. Les grosses boîtes peuvent servir de tables.

> Enfin, après avoir travaillé en famille durant une heure pour ranger les choses et désencombrer la maison, accordez-vous une pause agréable, ou organisez une petite fête lorsque vous aurez terminé le travail.

Crédit supplémentaire

Photographiez ou filmez votre fouillis avant de commencer le rangement. Vous ne le regretterez pas !

Fêtez chaque victoire, grande ou petite (comme une étagère enfin libérée ou la « disparition » d'une pile qui encombrait le sol). Inscrivez ci-dessous votre raison de fêter :

_____

_____

_____

Vous pouvez fêter en rendant visite à un ami, en regardant votre film préféré, en passant la soirée à lire des revues. Votre façon de fêter cette fois-ci sera :

_____

_____

_____

CHAPITRE 8

Le fouillis en cage ;
loin des yeux,
loin de vos préoccupations

Avoir du succès, c'est avoir ce que vous voulez.
Être heureux, c'est vouloir ce que vous avez.

ANONYME

L e problème, avec le fouillis en cage (toutes ces choses dont vous n'avez jamais besoin, dont vous ne vous servez pas, mais que vous fourrez dans un tiroir, un placard, une pièce, un garage, une remise, un sous-sol, un grenier, etc.), c'est que, comme on n'a pas besoin de le changer de place lorsque les invités arrivent, il peut demeurer éternellement. Chacun doit pouvoir glisser quelques affaires çà et là, certes, mais il est essentiel de contrôler ce fouillis en cage.

Certains ont besoin de plus de cages que d'autres — surtout les gens dont le travail ou le passe-temps (art, artisanat, cuisine, jardinage, couture, etc.) oblige à collectionner diverses choses. Maura, une artiste, m'a écrit : « De nombreux artistes vivent dans le désordre. Toutes les choses emballées — vieux magazines, bouts d'articles, papiers, livres anciens, vieux jouets, etc. — reflètent ce qu'ils ont en tête, eux qui savent que, parfois, parmi les boîtes et la poussière se trouvent des objets qui leur donneront des idées magnifiques et intéressantes, des choses qui pourraient se métamorphoser en œuvre précieuse. »

Oui, les artistes et les personnes créatives peuvent avoir besoin de cages supplémentaires pour ces objets qui nourrissent leur passion, mais ils doivent tout de même limiter leur fouillis.

Doris propose une nouvelle catégorie : le fouillis temporairement en cage. Voici ce qu'elle en dit : « Nous avons une petite entreprise et souvent, malgré les clients, je dois trier mon courrier, mes factures et toutes sortes de choses que je ne peux mettre en cage n'importe où. Si je cachais ce désordre, je serais frustrée plus tard, parce que cela me prendrait deux heures pour revenir à mon point de départ. C'est pourquoi j'ai eu l'idée de recouvrir mon bureau d'une nappe quand des clients passent. »

Les placards

L'expression «Moins, c'est plus» ne m'a jamais dit grand-chose, jusqu'à ce que je l'applique à mes placards. Lorsque votre placard est si désordonné que vous ne pouvez pas déplacer les cintres, vous vous contentez sans doute de porter toujours les mêmes huit ou neuf vêtements. Mais, une fois que vous avez bien rangé votre placard et que vous pouvez tout voir, vous pouvez alors porter tout ce qui s'y trouve. C'est un peu comme si vous veniez de faire une razzia dans les boutiques, sans débourser un sou.

Avant de vous attaquer à votre placard encombré, vous devez vous dire une chose importante : «Nous faisons tous des erreurs. Je suis un être humain. Je fais des erreurs. » Ainsi, quand vous avez acheté ce petit ensemble que vous n'avez jamais porté en six ans, vous avez commis une erreur. Admettez-le, débarrassez-vous-en et passez à autre chose.

Ne conservez pas un vêtement uniquement parce que vous l'avez payé cher. Ne gardez que ce que vous aimez, ce qui est à votre taille, qui vous va à ravir et n'est pas démodé au point de faire rire les gens sur votre passage.

C'est incontestable

Si vous ne pouvez pas vous passer de votre chemise disco
ou de cette robe que vous portiez à la collation des grades,
cela signifie que vous ne vous en séparerez jamais.
Vous allez continuer à vivre avec un placard bourré de vêtements
entassés, dont 80 % sont invisibles à cause du fouillis.
Ces vieux vêtements ne sont pas vos souvenirs,
pas plus qu'ils ne sont les bons moments que
vous avez vécus lorsque vous étiez jeune et insouciant.
Tout cela est dans votre cœur et dans votre tête.

« Je suis en train de prendre de nouvelles habitudes et de me débarrasser des vieilles », déclara Jennifer. Au lieu d'aller faire des emplettes coûteuses, elle se dit ceci : « Lorsque j'ai envie de faire des folies, je fonce vers mon placard et j'en sors des vêtements que je n'ai pas portés depuis vingt ans. Je les essaie tous et je me débarrasse de ceux que je n'aime pas (même si ce furent des cadeaux), ensuite je peux commencer à remettre les vêtements que j'aime vraiment. »

Tania, quant à elle, déclara : « J'avais l'habitude de garder tous les vêtements qui ne m'allaient plus parce que je me disais que je pourrais en avoir besoin plus tard, "quand j'aurai maigri". Et puis je me suis posé des questions : Vais-je vraiment les porter ? Seront-ils encore à la mode ? Et si je redevenais mince et svelte, ne mériterais-je pas de m'offrir de superbes vêtements ? Finalement, je les ai tous donnés, et les personnes qui les ont reçus les portent régulièrement. »

Gretchen nous confiait : « Lorsque nos vêtements se démodent ou se déchirent, nous les gardons pour les travaux ménagers, mais nous nous sommes rendu compte, mon mari et moi, que nous avions assez de vieux vêtements pour remplir un camion. En fait, c'étaient plus des saletés que des vêtements portables. J'ai compris qu'il était temps d'agir et de vider mon placard. »

Voici quelques conseils pour liquider le fouillis de vos placards :

— Commencez par nettoyer une petite surface, une section de la garde-robe, le sol ou une étagère.

— Sortez tout.

— Triez les vêtements et les accessoires, puis rangez tout dans trois catégories : à garder (ce qui retournera dans le placard) ; à jeter (ce qui ira à la poubelle) ; à emballer (mais n'exagérez pas car, si vous emballez trop de choses, vous devrez faire un nouveau tri).

— Il n'y a pas de catégorie pour l'hésitation. Vous devez vous décider sur-le-champ. Si vous ne portez pas le vêtement, débarrassez-vous-en.

— Posez-vous les questions suivantes : Combien de fois vais-je porter ce vêtement ? Est-il encore à ma taille ? Mes goûts ont-ils changé ? Est-ce que je l'aime ? Est-ce que je me sens bien dedans ? Pourquoi est-ce que je le garde ?

— La première fois où vous vous attaquez à votre placard, demandez l'aide d'un proche. Offrez-lui en retour de l'aider pour ranger ses placards, ou invitez-le au restaurant. Attention aux adolescents : si certains sont formidables, d'autres pensent que les parents ont des vêtements bizarres et veulent qu'ils jettent tout.

— Ne gardez que quelques souvenirs qui vous plaisent, mais pas tout ce que vous avez déjà porté et ne portez plus. Emballez vos souvenirs et rangez-les ailleurs que dans le placard où l'espace est précieux.

— Rangez les vêtements semblables ensemble (vêtements habillés, sport ou de travail).

— Résistez aux achats impulsifs. Pensez d'abord à votre penderie. Avez-vous vraiment besoin de ce vêtement ? Ira-t-il avec ceux que vous avez déjà ?

— Rangez les vêtements hors-saison dans des valises que vous glisserez sous le lit.

— Si des boîtes (ou autre chose) bloquent le passage vers le placard, dégagez l'espace afin d'avoir accès à tout ce que ce placard contient. Et, si la porte du placard est brisée, réparez-la.

— Rangez les choses dans des boîtes transparentes : vous verrez mieux ce qu'elles contiennent.

— Assurez-vous que les enfants peuvent atteindre ce qu'ils veulent dans leur placard. Installez une barre pour les vêtements qu'ils portent souvent et rangez les vêtements hors-saison ou habillés sur une barre plus élevée.

La boîte à gants

Videz la boîte à gants de son contenu. Puis remettez seulement les articles suivants :

— papiers de l'assurance automobile ;

— titre de propriété du véhicule ;

— certificat d'immatriculation ;

— numéro de téléphone de votre assistance routière ;

— bonne carte routière ;

— manuel d'entretien du véhicule ;

— trousse de premiers soins, chiffons et mouchoirs en papier.

La chambre d'appoint

Ken a longtemps souhaité avoir une pièce d'appoint : « Dans mon imagination, cette pièce était soit une chambre d'amis, soit une pièce où je pouvais me réfugier pour lire, me reposer, faire de l'exercice, réfléchir, etc. Et puis, un beau jour, j'ai pu aménager cette pièce de rêve. Ce fut formidable. Mais, bientôt, quand je ne savais pas quoi faire d'un objet encombrant, je le mettais dans cette pièce qui s'est vite remplie d'une montagne de trucs inutiles auxquels je ne pensais jamais. Du fouillis en cage, mais du fouillis quand même. Plus tard, quand j'ai eu besoin d'avoir un bureau à la maison, je me suis rendu compte que la pièce idéale servait ni plus ni moins de débarras. Il était temps de faire le ménage ! »

Est-ce que, à l'exemple de Ken, vous gaspillez une pièce entière en y stockant vos rebuts ? Si oui, posez-vous ces quelques questions :

— Est-ce que les affaires que j'entrepose sont usées, abîmées ou franchement laides ?

— Est-ce que je lirai un jour ces tas de revues ?

— Et si je ne conservais toutes ces choses que pour des raisons sentimentales ? J'aime les souvenirs que ces objets évoquent, mais est-ce que j'aime les objets eux-mêmes ?

— Est-ce que je crois pouvoir continuer à m'occuper de ces affaires et à leur trouver un espace de rangement ?

Bureaux et commodes

Dégagez le dessus des meubles. Cela facilitera l'époussetage et l'impression d'ordre qui se dégagera des pièces aiguisera votre vigilance.

Si vous êtes du genre à garder toutes vos boîtes à chaussures et à cadeaux, il est temps de les recycler. Placez-les dans les tiroirs en guise de compartiments. Vous y rangerez séparément chaussettes, sous-vêtements, ceintures, foulards, etc.

Essayez de vous débarrasser de ces cartes de vœux et de ces souvenirs qui vous encombrent sans vous donner aucun plaisir, puisque vous ne les regardez jamais.

Vitrines (vaisseliers) et autres meubles à tiroirs

Fort de vos bonnes habitudes, examinez ces cages à fouillis. Vous y trouverez beaucoup de choses qui ne serviront jamais à rien. Chez Ron, le vaisselier était tout en désordre : chaque fois qu'on voulait cacher un objet, c'est là qu'on le mettait. Un jour, en rangeant le contenu de ce meuble, Ron et sa femme découvrirent de vieilles nappes décolorées, des napperons déchirés, du papier d'emballage froissé, des bougies à moitié fondues et un seau rempli de bidules qu'on aurait dû jeter depuis longtemps.

Le garage

— Recrutez des amis ou des proches pour y faire du rangement et munissez-vous de sacs-poubelles, de bacs de recyclage, d'un balai, d'une pelle, d'un seau, d'un marqueur et de corde pour attacher magazines, journaux et morceaux de carton. N'oubliez pas les boissons fraîches et un casse-croûte.

— Jetez d'abord tout ce qui ressemble à des déchets.

— Décidez à l'avance de l'endroit où vous rangerez les objets de même nature : articles de sport, équipement de camping, outils de jardinage, etc.

— Progressez par petites sections, et ce, même si vous comptez travailler toute la journée. En effet, ce n'est pas une bonne idée de tout sortir d'un coup dans l'allée : vous ne feriez que déplacer le problème et vous auriez perdu beaucoup de temps.

— Déplacez voitures, bicyclettes et autres objets de grosse dimension.

— Étiquetez boîtes et sacs : « À donner » « À vendre » « À jeter » « À réparer ». Ne prévoyez pas de contenant « Plus tard ». C'est maintenant que vous devez vous décider.

— Ne perdez pas de temps à ranger les vis selon leurs dimensions. Contentez-vous de les rassembler dans un contenant. Vous les trierez plus tard.

— Numérotez toutes les boîtes et dressez dans un cahier la liste des choses qu'elles contiennent. Par exemple : « Boîte 1, affaires de grand-papa — photos, gant de baseball, collection d'autographes » ; « Boîte 2, vaisselle, etc. »

— Installez de nombreuses étagères pour y ranger le maximum de choses.

— Suspendez à des crochets les outils comme les balais et les pelles. Vous les trouverez facilement et cela libérera l'espace au sol.

Vous avez terminé ? Balayez le plancher et passez en revue toutes vos choses soigneusement rangées, au cas où il y aurait encore des trucs à éliminer, ce qui est presque toujours le cas.

L'atelier

— Lorsque vous faites le ménage dans votre atelier, commencez par tout sortir. Cela vous permettra de repérer les choses en double, les outils dont vous ne vous servez jamais, mais aussi ceux dont vous avez souvent besoin mais que vous ne trouvez pas dans ce fouillis. Songez à récupérer les outils que vous avez prêtés à des amis.

— Débarrassez-vous de tout ce qui est brisé, de ce qui ne fonctionne plus.

— Débarrassez-vous des choses en double. Si vous vendez des outils dans une vente-débarras ou au marché aux puces, ne comptez pas en tirer une fortune.

— Inscrivez la date du jour sur certains objets dont vous vous servez peu. Au bout d'un an, donnez les choses dont vous ne vous serez pas servi.

— Accrochez vos outils à un panneau perforé et tracez leur silhouette au feutre. Ce système est infaillible et vous permettra de toujours remettre les outils à la bonne place et de voir d'un coup d'œil ceux qui manquent.

— Mettez les outils les plus utiles dans un coffre portatif.

— Si vous avez parfois besoin de gros appareils électriques, il pourrait être avantageux de les louer au lieu de les acheter.

Voici le conseil d'Éric : « Il est parfois judicieux d'avoir certains outils en double. Par exemple, mon atelier se trouve tout au fond du jardin, et l'hiver je n'ai pas envie de sortir dans la neige pour aller y chercher un tournevis. Je garde donc dans la maison quelques outils en double : marteau, tournevis, pinces, etc. »

Le grenier et le sous-sol

C'est généralement dans les greniers et les sous-sols qu'on entrepose les objets de bonne taille, coûteux, ou auxquels on attache un prix sentimental. Le vieil ordinateur, les appareils photos, la porcelaine, le cristal, les objets irremplaçables qu'on a reçus de la famille et qu'on souhaite léguer à nos enfants.

Cela dit, ces conseils sont particulièrement utiles :

— Évitez les mois de canicule pour faire le ménage dans le grenier. Choisissez des jours secs pour transporter les choses hors du garage, de la remise ou de l'atelier.

— Stockez tout ce que vous pouvez dans des boîtes en plastique transparent. Cela vous permettra de voir ce qu'il y a à l'intérieur sans avoir à y farfouiller.

— Rangez les décorations de Noël (et tout ce que vous utilisez une fois par an) tout en haut, si possible sous le toit.

Charlie se disait souvent que, s'il dépensait beaucoup d'argent pour un article, il ne devait jamais s'en débarrasser — que la chose en question soit fonctionnelle ou non. Un jour, sa femme lui fit une remarque qui changea sa façon de voir le fouillis : « Elle voulait jeter un ordinateur que j'avais depuis des années, mais je refusais, parce que je l'avais payé cher à l'époque. Elle me dit que le prix n'avait rien à voir : cet appareil était devenu désuet et inutile, voilà tout, et le fait de le garder pendant cent ans ne le rendrait pas plus fonctionnel. »

Installations de stockage

Vous avez sans doute déjà eu besoin d'entreposer des choses pour un certain temps, par exemple des meubles reçus en héritage. On a besoin de temps pour trier, décider et laisser les autres choisir ce qui leur plaît.

Si vous songez à entreposer des choses pour longtemps, demandez-vous d'abord si vous tenez vraiment à ces choses. La somme d'argent que vous vous apprêtez à débourser pourrait être utilisée pour accroître votre confort. Vous pourriez par exemple partir en week-end, acheter de nouveaux meubles, consacrer cet argent à vos études et à celles de vos enfants, améliorer votre fonds de retraite, vous payer des soins dentaires, etc. Si vous pouvez vous permettre de louer un entrepôt, et si vous en avez envie, c'est votre affaire. Mais, si vous n'en avez pas les moyens, mettez en pratique les trucs et conseils de ce guide pour vous aider à faire le tri, à ne conserver que ce que vous pouvez physiquement garder chez vous, et à vous débarrasser du reste.

Si, malgré vos efforts, vous n'arrivez pas à vous défaire de ce que vous avez accumulé, peut-être devriez-vous envisager de consulter un conseiller professionnel.

Crédit supplémentaire

Je parierais que les endroits que vous voulez nettoyer sont ceux où sévit le fouillis sauvage. Si vous commencez par ces endroits, sachez qu'il vous faudra un certain temps avant de passer au fouillis en cage. Je vous propose donc cette simple tâche :

Dressez la liste de tous les lieux qui sont actuellement encombrés par votre fouillis en cage. Voilà !

_____

_____

_____

CHAPITRE 9

La joie d'être débarrassé du désordre

Pour voyager heureux, il faut voyager léger.
ANTOINE DE SAINT-EXUPÉRY

Vous avez peut-être entamé ce livre avec le sentiment d'avoir perdu la guerre contre le fouillis. Le cas échéant, j'espère que ce livre vous a redonné de l'espoir.

Pour vaincre le fouillis, il faut avoir un plan d'attaque et le fait de savoir que d'autres personnes avant nous ont réussi à dominer leur désordre doit nous encourager.

Raymond, propriétaire d'un commerce, m'a envoyé un courriel dans lequel il relate la façon dont il a liquidé son fouillis et repris le contrôle de sa vie.

Chère Rita,

L'année dernière, j'ai assisté à une de vos conférences où vous évoquiez la prise de contrôle du désordre dans nos vies et j'avais l'impression que vous vous adressiez directement à moi. Connaissez-vous le proverbe chinois qui dit : « Vous ne possédez pas vos objets, ils vous possèdent »? C'est exactement ce qui m'est arrivé.

Mon affaire marchait bien et je profitais de ma réussite pour acheter tout ce que je voulais, pour offrir à mon épouse de splendides bijoux et une superbe voiture.

Par la suite, nous avons dû acheter une nouvelle maison pour contenir tous ces biens, mais je me faisais du souci en pensant qu'on pouvait voler ma voiture de luxe, piller mes possessions, ou qu'un incendie pouvait tout détruire instantanément. Ma femme m'a alors dit que je me rendais malade : mes biens contrôlaient mes pensées et ma vie.

Je connais un proverbe amérindien qui dit : « Prends tout ce qu'il te faut, mais ne prends que ce qu'il te faut. » Ma femme et moi nous sommes parlés et avons constaté que nous avions beaucoup trop de choses superflues et que nous n'aimions pas le fouillis qui s'était installé dans notre vie. Après votre conférence, je savais ce qu'il me restait à faire.

J'ai d'abord mis un terme à mes dépenses inconsidérées — mais j'achète toujours des bijoux à ma femme, elle veut que je continue parce qu'elle trouve que j'ai bon goût. Et puis, pendant un an, nous avons donné quantité de choses dont nous n'avions pas besoin.

Nous menons toujours un train de vie agréable mais, à présent, le fatras qui recouvrait tout a beaucoup diminué et bientôt nous l'aurons vaincu totalement. Vraiment, les choses se sont beaucoup améliorées.

Rita, votre philosophie est excellente. Continuez à la transmettre.

Raymond a parfaitement raison : plus nos possessions matérielles sont considérables, plus nous avons peur de tout perdre. C'est pourquoi le fait de nous débarrasser de nos biens inutiles suscite en nous un sentiment de joie et de liberté retrouvée. Nous ne sommes plus « possédés » par nos possessions !

Ainsi, lorsque vous réussissez enfin à chasser le fouillis de votre vie, tout devient plus facile à organiser et vous gagnez en efficacité. Et puis,

— vous trouvez toujours ce que vous cherchez ;
— votre bureau, la table, le sol, le comptoir redeviennent fonctionnels ;
— votre travail est grandement facilité ;
— vous ne perdez plus vos affaires et vous n'oubliez plus ce que vous alliez faire ;
— votre concentration et votre attention sont meilleures ;
— vous pouvez travailler à une chose à la fois, parce que vous avez l'espace nécessaire.

Être débarrassé du fouillis vous donne non seulement plus d'espace physique, mais aussi plus de liberté émotionnelle. Lorsque vous vivez dans le désordre, vous vous sentez perdu et vous perdez confiance en vous. Cette confusion peut saboter vos buts et vos rêves. Par contre, quand vous avez réussi à vaincre votre fouillis, vous n'êtes plus gêné de montrer votre appartement et vous n'avez plus le sentiment d'être un perdant ou une personne désorganisée. Vous sentez que vous êtes un gagnant qui atteint les buts qu'il se fixe.

Goûtez fièrement votre succès. Ressentez la joie d'avoir chassé le désordre de votre vie. Chaque fois que vous voyez la propreté et la netteté de ce qui vous entoure — pièce, bureau, table, voiture, tiroir, plancher, etc. —, proclamez haut et fort votre victoire sur le fouillis.

Fêtez votre succès, même si vous n'avez dégagé qu'un tout petit espace. C'est tout de même un pas dans la bonne direction.

Est-ce que le fouillis reviendra ?

Parfois, une partie du fouillis reviendra — peut-être parce que vous serez malade, ou qu'une crise aura éclaté dans votre vie, ou parce que vous serez débordé de travail, que vous aurez eu des invités la veille, ou à cause de tout autre événement qui vous aura empêché de respecter vos nouvelles habitudes. Sachez que le fouillis ne sera jamais aussi grave qu'avant. Si vous avez pris l'habitude de remettre chaque chose à sa place, par exemple, et si vous continuez à « nourrir » votre corbeille à papier, vous faites ce qu'il faut pour tenir le fouillis en échec.

Par contre, si vous faisiez une rechute, ne vous en faites pas outre mesure. Vous êtes humain, après tout. Pourquoi ne pas relire quelques-uns des chapitres précédents, histoire de recharger vos batteries ? Si vous sentez le besoin d'incorporer certaines habitudes ou de mettre en pratique certains trucs dans votre style de vie, écrivez-les et affichez-les sur le miroir de la salle de bains, sur la porte du réfrigérateur ou au-dessus de votre bureau.

Demandez-vous ce qui a causé cette rechute et mettez au point un système qui contrôlera le fouillis. Selon Mark Victor Hansen, coauteur de *Chicken Soup for the Soul*, une bonne méthode est de la plus haute importance, parce que cela vous permet de gagner du temps, de l'argent et de l'énergie.

Terry s'est rendu compte qu'il avait tendance à accumuler les dépliants touristiques, parce qu'il espérait toujours que sa femme et lui partiraient en voyage un jour. Heureusement, il a fini par tout ranger dans une chemise. Depuis lors, il les consulte souvent, les montre à sa femme, puis les remet à leur place, sans fouillis.

Voici le système de prévention du fouillis que j'utilise lorsque les papiers s'accumulent sur mon bureau (spécialement lorsque j'ai dû m'absenter durant quelques semaines). J'étiquette plusieurs chemises («Clients», «Lettres», «Propositions», «Séminaires télé», «À classer», «À traiter») et je range chaque document dans la chemise appropriée. De cette façon, je retrouve facilement ce que je cherche, sans avoir à farfouiller dans toute ma paperasserie.

Une nouvelle version de vous… en mieux!

Au fur et à mesure que votre fouillis s'évaporera, vous observerez des changements dans votre vie. Beaucoup d'angoisse disparaîtra et vous vous sentirez mieux, plus heureux.

Cinq règles faciles pour tenir le fouillis en respect

Nous vivons dans un monde où le fouillis menace continuellement. Il ne s'agit pas de développer une obsession du rangement, mais de suivre quelques règles simples:
Débarrassez-vous régulièrement des choses dont vous ne vous servez plus.
Réfléchissez bien avant de rapporter quelque chose chez vous.
Trouvez un lieu de rangement pour toutes vos affaires.
Remettez immédiatement les choses à leur place après vous en être servi.
Adoptez des systèmes et des habitudes de rangement simples et tenez-vous-y.
C'est ainsi que vous réussirez à tenir le fouillis en respect, à l'empêcher d'envahir votre espace vital et votre lieu de travail, et à reprendre le contrôle de votre vie.

Vous remarquerez aussi un changement dans vos priorités, ce qui vous permettra par le fait même de réduire votre «fouillis social». Vous vous remettrez à consacrer plus de temps aux personnes, aux groupes, aux organismes ou aux activités importantes ou significatives à vos yeux.

Chaque pas que vous faites pour liquider votre fouillis ou l'empêcher de renaître vous donne un sens accru de liberté. Vous aurez plus d'énergie et en retirerez un profond sentiment de satisfaction.

En bref, vous vous sentirez plus léger, parce que vous n'aurez plus à vivre votre vie en traînant tout ce fatras derrière vous.

Petit questionnaire

Quelles sont, d'après vous, les idées qui pourraient vous aider à organiser ce qui doit encore l'être ?

— Demander à des amis quelles sont leurs méthodes de rangement. ❏
— Lire des trucs et conseils dans les revues, les journaux ou sur Internet. ❏
— Examiner les contenants qu'on trouve au magasin, en particulier les fournitures et accessoires de bureau. ❏
— Lire un livre sur la façon de s'organiser. ❏
— Regarder les émissions de télé qui traitent d'ordre et d'organisation de l'espace. ❏

Que vous décidiez ou non de suivre ces conseils importe peu. Vous avez gagné. Pourquoi ? Parce que vous avez lu ce livre qui vous a permis de sortir de votre torpeur. Même si vous n'avez pas encore commencé à vous débarrasser de votre fouillis, vous êtes sur la bonne voie. Les choses qui vous laissaient indifférent auparavant vont commencer à vous déranger. Vous avez les idées, les trucs et les solutions qu'il vous faut. À vous de jouer !

Lorsque votre fouillis commencera à disparaître, vous découvrirez un surplus d'espace et de temps, et vous réussirez à toujours trouver ce que vous cherchez. Résultat : vous vous sentirez plus léger, énergisé, plus organisé (enfin !), et vous aurez le sentiment d'avoir gagné la partie.

En vous organisant, vous deviendrez moins éparpillé, moins inconsistant. Vous constaterez des changements subtils dans vos relations (moins de plaintes des gens avec lesquels vous vivez ou travaillez, moins de critiques de la part des étrangers) et vous serez plus efficace et plus productif au travail. Certaines personnes ont même observé un changement dans leur posture. Ils marchent la tête haute et se sentent plus grands, dans leur corps et dans leur âme.

Tout cela parce que, chaque fois que vous regarderez autour de vous, vous verrez… que le fouillis a disparu !

Remerciements

Être une auteur est plus amusant que je ne l'avais imaginé et si vous avez le projet d'écrire un livre, il faut que vous le fassiez. On ne sait jamais ce qui peut arriver. Pour ma part, être publiée est un rêve devenu réalité.

Il est aussi incroyable de constater quelle somme de travail est nécessaire pour transformer des idées en un livre cohérent. Si les auteurs reçoivent tous les hommages, aucun ouvrage n'est jamais mené à bien sans l'aide, la gentillesse et la générosité d'un grand nombre de gens. Ils sont trop nombreux pour que je les remercie ici, mais je m'en voudrais de ne pas saluer au moins quelques êtres merveilleux.

Un merci tout particulier à mon nouvel agent, Danielle Egan-Miller, qui a pris la relève après la disparition de Jane Jordan Browne, pour qui j'avais la plus grande affection. Jane n'était pas facile à remplacer, mais Danielle a montré le même enthousiasme, la même attention et le même professionnalisme. Danielle a toujours du temps pour moi, et son soutien moral et son amitié dépassent de loin ses fonctions d'agent littéraire.

Je suis également reconnaissante à d'autres personnes, dont ma nièce, Mickey Forster, déesse du Web, qui a créé un site formidable ; Ruth Coleman, pour m'avoir aidée à sortir de l'impasse, et pour sa sagesse et son amitié ; Jo-Anne Knight, pour m'avoir aidée de toutes sortes de manières ; Maureen Edgar, Linda Brakeall, Carolyn Jonasen et Mike Wynne, pour avoir accepté de lire les épreuves et pour leurs idées lumineuses ; et Doris Payne et Orla Clancy pour leurs concepts créatifs et inhabituels sur le fouillis.

Je remercie Meg et John Gleeson pour leur histoire hilarante et pleine d'humanité. Malheureusement, je ne suis pas autorisée à vous révéler de quelle histoire il s'agit.

Merci de tout cœur à ceux qui achètent et lisent mes livres. Vous êtes toujours surprenants.

À tous les membres de ma famille et à mes amis : j'apprécie vos paroles d'encouragement et votre patience lorsque je disparais pendant des semaines pour écrire. En outre, merci à ceux qui, lorsqu'ils aperçoivent mes livres dans les librairies, les disposent pour que tout le monde les voie.

Tous ceux et celles dont le nom figure ici (et je prie ceux que j'ai oubliés de me pardonner) ont joué un rôle important dans le voyage de ma vie et dans l'écriture de ce livre. Je leur suis très reconnaissante et j'ai beaucoup de chance.

Table des matières

ELAINE N. ARON

Ces gens qui ont peur d'avoir peur

Mieux comprendre l'hypersensibilité

LES ÉDITIONS DE L'HOMME

Ces gens qui se sentent
toujours visés

Apprendre à dépersonnaliser les situations

LES ÉDITIONS DE L'HOMME

Harriet B. Braiker

Ces gens qui veulent plaire à tout prix

LILLIAN GLASS

Ces gens qui vous empoisonnent l'existence

LES ÉDITIONS DE L'HOMME

LILLIAN
GLASS

Comment s'entourer
de gens
extraordinaires

LES ÉDITIONS DE
L'HOMME

LILLIAN
GLASS

Je sais
ce que tu
penses

LES ÉDITIONS DE
L'HOMME

GEORGE ET SEDENA
CAPPANNELLI

Dites oui
au
changement

LES ÉDITIONS DE
L'HOMME

Date Due

JUN 0 1 2007		
JUN 2 6 2007		
MAR 2 1 2010 OCT 1 4 2010		
NOV 0 6 2010		
MAR 0 6 2012		
MAR 2 6 2012		

BRODART   Cat. No. 23 233   Printed in U.S.A.

Achevé d'imprimer au Canada
sur les presses des Imprimeries Transcontinental Inc.